Gaëlle finLAN Summer 1994.

JEAN-PAUL II

# LETTRE AUX FAMILLES

Présentation par
Mgr. Jacques JULLIEN
*Archevêque de Rennes*

LE GRAND LIVRE DU MOIS

**ISBN** : 2-7289-0637-8
© Plon/Mame 1994
**Dépôt légal** : Février 1994

# PRÉSENTATION

*par*

## Mgr. Jacques Jullien

*Archevêque de Rennes*

*A l'occasion de l'année de la famille, le Pape Jean-Paul écrit une longue lettre à ses enfants. Ou plutôt il frappe à la porte de leur maison et vient s'asseoir à leur table pour leur parler en prenant son temps.*

*L'en-tête donne bien le ton : "Chères familles". Et d'entrée de jeu il annonce la couleur : je voudrais «* vous saluer avec une grande affection et m'entretenir avec vous *». Il veut parler à tous et à chacun personnellement. Il entend d'abord prier pour tous, sans oublier personne, y compris ceux qui vivent des situations "irrégulières", comme disait l'exhortation apostolique* Familiaris Consortio, *sur la famille, publiée à l'issue du synode de 1980. Jean-Paul II s'appuie sur son expérience de pasteur, sur des rencontres multiples avec les époux, jusque et y compris au confessionnal.*

*Le Pape pourtant n'aborde pas la réalité familiale d'abord sous l'angle sociologique, même si cette perspective est évidemment présente (par exemple sur le rôle du père désigné par la mère, ou encore sur le rôle de chacun dans l'éducation). Il se situe d'emblée dans une approche philosophique et théologique, au risque de voir quelques-uns des enfants "décrocher"... Mais s'ils persévèrent, ils se trouveront à l'aise dans les propos sur l'amour, l'éducation ou le rôle de la famille dans la société.*

V

# I

*Le fil directeur de la lettre, c'est la personne humaine, « la* seule créature sur terre que Dieu a voulue pour elle-même ». *Toute la première partie, intitulée "la civilisation de l'amour" gravite autour de la personne. L'amour humain est don et accueil de la personne toute entière, et prend sa source dans l'amour de Dieu, Père, Fils et Saint-Esprit. La famille, est ce lieu de l'accueil des personnes, le lieu de la communion et de la première "communauté".* « La *"communion"* concerne la relation personnelle entre le *"je"* et le *"tu"*. La *"communauté"* dépasse au contraire ce schéma dans la direction d'une *"société"*, d'un *"nous"*... ». *La communion, tissée d'abord entre la mère et l'enfant, s'étend au père, aux frères et sœurs, et aux communautés plus larges. Ainsi la société repose sur l'amour gratuit, sur l'alliance entre l'homme et la femme traduite dans un engagement et une ouverture à l'amour et à la vie, à l'instar de Celui dont l'homme et la femme sont, ensemble, image et ressemblance.*

*C'est là un "grand mystère" qui prendra tout son sens à la lumière de la nouvelle Alliance. Le grand mystère de l'amour humain évoqué par saint Paul aux Éphésiens s'enracine dans l'Alliance du Christ avec l'Église. Mystère du "bel amour". Mystère de la procréation qui associe les couples à l'œuvre créatrice de Dieu, pour faire surgir une personne unique, une liberté, une éternité, "don très précieux" des époux l'un à l'autre, comme disait déjà le Concile Vatican II. La naissance d'ailleurs, qui est mort et vie, revêt une dimension pascale.*

*On ne s'étonnera pas, bien sûr, de voir Jean-Paul II reprendre ici, par les sommets, les positions de l'Église catholique sur la régulation des naissances, sur la paternité et la maternité responsables :* « Les deux dimensions de l'union conjugale ne peuvent être séparées artificiellement ». *Tout ceci s'inscrivant évidemment dans une civilisation de l'amour, aux antipodes de notre société utilitariste et antinataliste, en crise, comme vient de le rappeler l'encyclique* Veritatis Splendor, *au nom de la vérité de l'homme et de la véritable liberté qui s'accomplit dans l'engagement.*

*L'accent est mis d'emblée sur une approche personnaliste, et non point individualiste, selon une conception de l'homme vivant en communion et en communauté au sein de la famille. "Le soi-disant amour libre" au contraire aboutit à des couples éclatés et à des enfants "orphelins de leurs parents vivants". Pourtant l'amour est habité par une force de régénération... "capable de guérir ces blessures".*

*De longs développements, plus nouveaux semble-t-il, se déploient autour du quatrième commandement,* Honore ton père et ta mère, *qui éclaire toutes les relations de la famille, à l'intérieur comme à l'extérieur, d'une lumière déjà religieuse.* « Il y a là une certaine analogie avec le culte dû à Dieu ». *Déjà saint Thomas situait l'honneur dû aux parents dans la ligne de la piété filiale, prolongement de la piété et du culte dûs à Dieu. Il ne s'agit pas de la canonisation de modèles particuliers de type patriarcal, par exemple, mais bien de la reconnaissance d'une dimension spirituelle de tout amour véritable. Et l'amour est bien présent dans la reconnaissance mutuelle des personnes qui "s'élèvent", en quelque sorte, les unes les autres selon leur grâce propre de parents ou d'enfants.*

*Jean-Paul II, comme toujours, est très lucide :* « Pour beaucoup de gens, la civilisation de l'amour constitue encore une véritable utopie ». *Mais tout est possible à l'amour dès qu'il est relié à sa source.*

*Dans le prolongement du quatrième commandement, l'éducation se voit consacrer plusieurs pages. Au centre de la civilisation de l'amour, fondée sur l'accueil gratuit des parents, quelles que soient les limites de leurs enfants, jusque et y compris les handicaps physiques ou psychiques, elle assure la croissance de la personne selon sa vocation propre. Dans le respect de la tâche première des parents, "principaux éducateurs de leurs enfants", elle débouche sur l'ouverture de la famille et des personnes qui la composent au service de la société dans le respect du droit de chacun, la famille apparaissant ainsi comme la cellule de base de la famille humaine (comme le soulignait déjà fortement* Familiaris Consortio*).*

II

*Un second chapitre nous convie à méditer sur le mystère de Cana et la présence du Christ aux noces humaines, une présence symbolique qui est promesse et déjà accomplissement de la transfiguration de la famille humaine :* « Chers frères et sœurs, époux et parents, l'Époux est avec vous. Vous savez qu'il est le bon Pasteur et vous connaissez sa voix ».

*Un souffle apostolique anime cette seconde partie. Jean-Paul II veut faire pressentir à tous la grandeur de leur vocation. Il renvoie constamment du Christ à la famille humaine, et de la famille humaine au Christ, sauveur de l'humanité dans sa source qu'est la famille. Le "Mystère" invite à creuser la dimension mystique de l'amour conjugal qui plonge ses racines dans le mystère de l'Alliance de Dieu et de l'homme en Jésus-Christ.*

*Le déploiement de l'Alliance entre Dieu et l'homme transfigure l'homme tout entier, corps et âme, et interdit de le réduire à n'être qu'un objet, objet d'exploitation, de manipulation ou de commerce. La présence du Christ au mariage et à la famille, ici aujourd'hui, comme hier à Cana, manifeste que* « la famille se place ainsi véritablement au centre de la nouvelle Alliance ».

*Le Pape retrouve les accents de saint Paul parlant de sa tendresse paternelle pour ceux qui sont ses enfants spirituels.* « Vous savez qu'il est le bon Pasteur, et vous connaissez sa voix. Vous savez où il vous conduit, vous savez qu'il lutte pour vous amener dans les pâturages où trouver la vie et la trouver en abondance, qu'il affronte les loups voraces, toujours prêt à arracher ses brebis de leurs gueules : tout mari et toute femme, tout fils et toute fille, tout membre de vos familles ». *Chacun, en effet, peut rencontrer le Christ et partager sa vie, en particulier par les sacrements.*

*Ce regard et cette réalité chrétienne du mariage et de la famille n'oublient pas la "civilisation malade" dans laquelle grandissent nos familles au moment où* « les moyens modernes de communication sociale sont soumis à la tentation de manipuler le message en falsifiant la vérité sur l'homme ». « Le rationalisme moderne ne supporte pas le mystère, n'accepte pas le mystère de l'homme, homme et femme, et ne veut pas reconnaître que la pleine vérité sur l'homme a été révélée en Jésus-Christ ».

*Le contraste entre la naissance merveilleuse du Christ et le massacre des innocents, rappelle le caractère tragique de l'existence humaine, mais, il revêt une dimension prophétique : il rappelle la dimension pascale "de toute existence humaine, de l'enfance, comme de l'âge adulte" : de la mort surgit la vie.*

*Et la vie, c'est le triomphe de l'amour. Aussi, il n'est pas étonnant de voir la lettre s'achever par l'évocation du jugement dernier où nous serons tous jugés sur l'amour après avoir évoqué le rôle unique de la famille de Nazareth dans la "civilisation de l'amour".*

* * *
*

*Une première lecture, forcément rapide, de cette lettre permet déjà d'en entrevoir la richesse.*

*L'amour véritable et la vérité des choses et des cœurs obligent à regarder en face les faillites, les carences de notre monde, et les graves blessures de la famille. Mais Jean-Paul II ne s'y arrête pas longtemps : on le sent pressé de nous appeler à contempler le mystère de l'Alliance conjugale et à travailler à l'accomplissement de la vocation des familles chrétiennes au service de tous.*

*Cette lettre reprend bien des thèmes de* Familiaris Consortio *et des enseignements antécédents. Elle nous rappelle, avec une insistance paternelle que, « l'avenir de l'humanité passe par la famille » et que la vocation des familles chrétiennes, comme de ceux qui sont appelés à renoncer à une famille, est précisément le service de la civilisation de l'amour pour la gloire du Père et la vie de l'homme. Et finalement, c'est l'appel du Christ dont il fit son premier message que Jean-Paul II nous lance pour raviver en nous une joyeuse Espérance :* « N'ayez pas peur, je suis avec vous ».

J. Jullien,
Archevêque de Rennes

# Lettre aux Familles du Pape JEAN-PAUL II

1994
Année de la Famille

Chères familles!

1.   La célébration de l'Année de la Famille m'offre l'heureuse occasion de frapper à la porte de votre maison, moi qui voudrais vous saluer avec une grande affection et m'entretenir avec vous. Je le fais par cette Lettre, en prenant pour point de départ l'expression de l'encyclique *Redemptor hominis,* que j'ai publiée dès le début de mon ministère de successeur de Pierre. J'écrivais alors: *l'homme est la route de l'Église.*[1]

Par cette expression, je voulais évoquer avant tout les innombrables routes le long desquelles l'homme chemine, et je voulais en même temps souligner le profond désir de l'Église de l'accompagner dans cette marche sur les routes de son existence terrestre. L'Église prend part aux joies et aux espoirs, aux tristesses et aux angoisses[2] de la marche quotidienne des hommes, dans la conviction intime que c'est le Christ lui-même qui l'a envoyée sur tous ces sentiers: c'est lui qui a confié l'homme à l'Église, qui l'a confié comme « route » de sa mission et de son ministère.

---

[1] Cf. Encycl. *Redemptor hominis* (4 mars 1979), n. 14: *AAS* 71 (1979), pp. 284-285.
[2] Cf. CONC. ŒCUM. VAT. II, Const. past. sur l'Église dans le monde de ce temps *Gaudium et spes,* n. 1.

## La famille, route de l'Église

**2.** Parmi ces nombreuses routes, *la famille est la première et la plus importante:* c'est une route commune, tout en étant particulière, absolument unique, comme tout homme est unique; une route dont l'être humain ne peut s'écarter. En effet, il vient au monde normalement à l'intérieur d'une famille; on peut donc dire qu'il doit à cette famille le fait même d'exister comme homme. Quand la famille manque, il se crée dans la personne qui vient au monde une carence préoccupante et douloureuse, qui pèsera par la suite sur toute sa vie. L'Église se penche avec une affectueuse sollicitude vers ceux qui vivent une telle situation, car elle connaît bien le rôle fondamental que la famille est appelée à remplir. Elle sait, en outre, que normalement *l'homme quitte sa famille pour réaliser à son tour, dans un nouveau noyau familial, sa vocation propre.* Même s'il choisit de rester seul, la famille demeure pour ainsi dire son horizon existentiel, la communauté fondamentale dans laquelle s'enracine tout le réseau de ses relations sociales, depuis les plus immédiates, les plus proches, jusqu'aux plus lointaines. Ne parlons-nous pas de « famille humaine » à propos de l'ensemble des hommes qui vivent dans le monde?

La famille a son origine dans l'amour même du Créateur pour le monde créé, comme il est déjà dit « au commencement », dans le Livre de la Genèse (1, 1). Dans l'Évangile, Jésus le confirme pleinement: « Dieu a tant aimé le monde qu'il a donné son Fils unique » (*Jn* 3, 16). *Le Fils unique,* consubstantiel au Père, « *Dieu, né de Dieu,* Lumière née de

4

la Lumière », *est entré dans l'histoire des hommes par la famille:* « Par son Incarnation, le Fils de Dieu s'est en quelque sorte uni lui-même à tout homme. Il a travaillé avec des mains d'homme, [...] il a aimé avec un cœur d'homme. Né de la Vierge Marie, il est vraiment devenu l'un de nous, en tout semblable à nous, hormis le péché ».[3] Si donc le Christ « manifeste pleinement l'homme à lui-même »,[4] c'est d'abord par la famille dans laquelle il a choisi de naître et de grandir qu'il le fait. On sait que le Rédempteur est resté caché à Nazareth pendant une grande partie de sa vie, « soumis » (*Lc* 2, 51), en tant que « Fils de l'homme », à Marie sa Mère, et à Joseph le charpentier. Cette « obéissance » filiale n'est-elle pas la première expression de l'obéissance à son Père « jusqu'à la mort » (*Ph* 2,8) par laquelle il a racheté le monde?

*Le mystère divin de l'Incarnation du Verbe a donc un rapport étroit avec la famille humaine.* Et cela, non seulement avec une famille, celle de Nazareth, mais en quelque sorte avec toute famille, d'une manière analogue à ce que dit le Concile Vatican II à propos du Fils de Dieu qui, par l'Incarnation, « s'est en quelque sorte uni lui-même à tout homme ».[5] À la suite du Christ « venu » dans le monde « pour servir » (*Mt* 20,28), l'Église considère que servir la famille est l'une de ses tâches essentielles. En ce sens, l'homme et la famille également constituent « la route de l'Église ».

---

[3] *Ibid.,* n. 22.
[4] *Ibid.*
[5] *Ibid.*

## L'Année de la Famille

3.    C'est précisément pour ces motifs que *l'Église salue avec joie l'initiative* prise par l'Organisation des Nations Unies *de faire de 1994 l'Année internationale de la Famille*. Cette initiative met en lumière le fait que la question de la famille est fondamentale pour les États qui sont membres de l'ONU. Si l'Église désire participer à une telle initiative, c'est parce qu'elle a été elle-même envoyée par le Christ à « toutes les nations » (*Mt* 28, 19). Du reste, ce n'est pas la première fois que l'Église fait sienne une initiative internationale de l'ONU. Il suffit de rappeler, par exemple, l'Année internationale de la Jeunesse, en 1985. De cette façon aussi, elle se rend présente au monde, réalisant un objectif qui était cher au Pape Jean XXIII et qui a inspiré la constitution conciliaire *Gaudium et spes*.

*En la fête de la Sainte Famille de 1993 a commencé, dans toute la communauté de l'Église, l'« Année de la Famille »,* étape significative sur l'itinéraire de la préparation au grand Jubilé de l'an 2000 qui marquera la fin du deuxième et le début du troisième millénaire depuis la naissance de Jésus Christ. Cette Année doit nous amener à nous tourner, d'esprit et de cœur, vers Nazareth où, le 26 décembre dernier, elle a été officiellement inaugurée par la célébration eucharistique solennelle présidée par le Légat pontifical.

Tout au long de cette Année, il est important de redécouvrir *les témoignages de l'amour et de la sollicitude de l'Église envers la famille,* amour et sollicitude exprimés dès les origines du christianisme, alors que la famille, d'une manière significative, était considérée *comme « Église domestique ».* De nos jours, c'est bien souvent que nous reprenons l'expression « Église domestique », que le Concile a faite sienne [6] et dont nous désirons que le contenu demeure toujours vivant et actuel. Ce désir n'est nullement effacé par la prise de conscience des nouvelles conditions d'existence des familles dans le monde d'aujourd'hui. C'est ce qui rend plus significatif que jamais le titre que le Concile a choisi, dans la constitution pastorale *Gaudium et spes,* pour indiquer les tâches de l'Église dans la situation présente: « Mettre en valeur la dignité du mariage et de la famille ». [7] Après le Concile, l'exhortation apostolique *Familiaris consortio,* de 1981, constitue une autre référence importante. Dans ce texte est abordée une expérience vaste et complexe concernant la famille: celle-ci, à travers les différents peuples et les différents pays, reste toujours et partout « la route de l'Église ». En un sens, elle le devient encore plus là où la famille subit des crises internes ou bien est exposée à des influences culturelles, sociales et économiques dommageables qui minent sa cohésion interne, quand elles ne sont pas des obstacles à sa formation elle-même.

## La prière

4.  Par la présente lettre je voudrais m'adresser, non à la famille « dans l'abstrait », mais *à chaque famille concrète de toutes les régions de la terre,* sous quelque longitude et latitude

---

[6] Cf. Const. dogm. sur l'Église *Lumen gentium,* n. 11.
[7] Const. past. sur l'Église dans le monde de ce temps *Gaudium et spes,* II$^e$ partie, chapitre I.

qu'elle se trouve, et quelles que soient la diversité et la complexité de sa culture et de son histoire. L'amour dont « Dieu a aimé le monde » (*Jn* 3, 16), l'amour dont le Christ « aima jusqu'à la fin » tous et chacun (*Jn* 13,1), donne la possibilité d'adresser ce message à chaque famille, « cellule » vitale de la grande et universelle « famille » humaine. Le Père, Créateur de l'univers, et le Verbe incarné, Rédempteur de l'humanité, constituent la source de cette ouverture universelle aux hommes comme à des frères et des sœurs, et ils invitent à *les prendre tous dans la prière* qui commence par les mots émouvants « *Notre Père* ».

La prière fait que le Fils de Dieu demeure au milieu de nous: « Que deux ou trois soient réunis en mon nom, je suis là au milieu d'eux » (*Mt* 18, 20). Cette *Lettre aux Familles* veut être avant tout une prière adressée au Christ pour qu'il demeure en chacune des familles humaines; un appel qui lui est adressé, à travers la petite famille constituée par les parents et les enfants, à habiter dans la grande famille des nations, afin qu'avec lui nous puissions tous dire en vérité: « Notre Père! » Il faut que la prière devienne l'élément dominant de l'Année de la Famille dans l'Église: prière de la famille, prière pour la famille, prière avec la famille.

Il est significatif que, précisément *dans la prière et par la prière, l'homme découvre, d'une manière on ne peut plus simple et profonde à la fois, sa véritable personnalité:* dans la prière, le « je » humain saisit plus facilement la profondeur de sa qualité de personne. *Cela vaut également pour la famille,* qui n'est pas seulement la « cellule » fondamentale de la société mais qui possède aussi une physionomie particulière. Celle-ci trouve une confirmation première et fondamentale, et se raffermit, lorsque les membres de la famille se rencontrent dans l'invocation commune: « Notre Père! » La prière renforce la solidité et la cohésion spirituelle de la famille, contribuant à faire participer celle-ci à la « force » de Dieu. Dans la « bénédiction nuptiale » solennelle au cours de la cérémonie du mariage, le célébrant invoque ainsi le Seigneur pour les nouveaux époux: « Fais descendre sur eux la grâce de l'Esprit Saint afin que, par ton amour répandu dans leurs cœurs, ils restent toujours fidèles à l'alliance conjugale ».[8] C'est de cette « effusion de l'Esprit Saint » que naît la force intérieure des familles, comme aussi la puissance capable de les unifier dans l'amour et dans la vérité.

## L'amour et la sollicitude pour toutes les familles

5.   Que l'Année de la Famille devienne une prière commune et incessante des diverses « Églises domestiques » et de tout le peuple de Dieu! Et que l'intention de cette prière comprenne également les familles en difficulté ou en danger, celles qui sont découragées ou divisées, et celles qui se trouvent dans les situations que l'exhortation *Familiaris consortio* qualifie d'« irrégulières »![9] *Puissent-elles toutes se sentir saisies par l'amour et la sollicitude de leurs frères et de leurs sœurs!*

Que la prière, en l'Année de la Famille, constitue avant tout un témoignage encourageant de la part des familles qui

---

[8] *Rituale Romanum, Ordo celebrandi matrimonium,* n. 74, 2ᵉ édition typique, 1991, p. 26.
[9] Cf. Exhort. apost. *Familiaris consortio* (22 novembre 1981), nn. 79-84: *AAS* 74 (1982), pp. 180-186.

réalisent dans la communion familiale leur vocation de vie humaine et chrétienne! Elles sont innombrables, dans tous les pays, dans tous les diocèses et dans toutes les paroisses. On peut raisonnablement penser qu'elles constituent « la règle », même en tenant compte des nombreuses « situations irrégulières ». Et l'expérience montre l'importance du rôle d'une famille vivant selon les normes morales, pour que l'homme qui naît en elle et qui s'y forme prenne sans hésitation la route du bien, qui est *d'ailleurs toujours inscrite dans son cœur*. Diverses organisations soutenues par des moyens très puissants semblent viser la désagrégation des familles. Il semble même parfois que l'on cherche par tous les moyens à présenter comme « régulières » et attrayantes, en les revêtant d'une apparence extérieure séduisante, des situations qui sont en fait « irrégulières ». En effet elles contredisent « la vérité et l'amour » qui doivent inspirer et guider les rapports entre hommes et femmes, et elles sont donc causes de tensions et de divisions dans les familles, avec de graves conséquences, spécialement pour les enfants. La conscience morale est obscurcie, ce qui est bon et beau est déformé, et la liberté se trouve supplantée par une véritable servitude. Face à tout cela, les propos de l'Apôtre Paul sur la liberté avec laquelle le Christ nous a libérés et sur l'esclavage causé par le péché (cf. *Ga* 5,1) revêtent une actualité singulière et nous stimulent.

On comprend donc combien est opportune et même nécessaire dans l'Église l'Année de la Famille; combien est indispensable *le témoignage de toutes les familles* qui vivent chaque jour leur vocation; combien est urgente *une grande prière des familles,* qui s'intensifie et s'étende au monde entier, et dans laquelle s'exprime l'action de grâce pour l'amour en vérité, pour « l'effusion de la grâce de l'Esprit Saint »,[10] pour la présence du Christ parmi les parents et les enfants, du Christ Rédempteur et Époux qui « nous aima jusqu'à la fin » (cf. *Jn* 13, 1). Nous sommes intimement convaincus que cet amour est plus grand que tout (cf. *1 Co* 13, 13), et nous croyons qu'il est capable de dépasser et de vaincre tout ce qui n'est pas amour.

Que s'élève d'une manière incessante, cette année, la prière de l'Église, la prière des familles, « Églises domestiques »! Et qu'elle se fasse entendre d'abord de Dieu, puis des hommes, afin que ceux-ci ne tombent pas dans le doute, et que ceux qui chancellent à cause de la fragilité humaine ne succombent pas devant l'attrait trompeur des biens qui ne le sont qu'en apparence, comme ceux que présente toute tentation!

À Cana de Galilée, où Jésus a été invité à un repas de noces, sa Mère, présente elle aussi, s'adresse aux serviteurs en leur disant: « Tout ce qu'il vous dira, faites-le » (*Jn* 2, 5). À nous aussi qui sommes entrés dans l'Année de la Famille, Marie adresse ces paroles. Et ce que nous dit le Christ, en ce moment particulier de l'histoire, constitue un vigoureux appel à une grande prière avec les familles et pour les familles. La Vierge Mère nous invite à nous unir, par cette prière, aux sentiments de son Fils, qui aime toute famille. Il a exprimé

---

[10] Cf. *Rituale Romanum, Ordo celebrandi matrimonium,* n. 74, éd. cit., p. 26.

cet amour au début de sa mission de Rédempteur, précisément par sa présence sanctificatrice à Cana de Galilée, présence qui se poursuit toujours.

Prions pour les familles du monde entier. Prions, par lui, avec lui et en lui, le Père « de qui toute paternité, au ciel et sur la terre, tire son nom » (*Ep* 3, 15)!

# I

# LA CIVILISATION DE L'AMOUR

## « Homme et femme il les créa »

6.    Le cosmos, immense et si diversifié, le monde de tous les êtres vivants, *est inscrit dans la paternité de Dieu comme dans sa source* (cf. *Ep* 3, 14-16). Naturellement, il y est inscrit selon le critère de l'analogie grâce auquel il nous est possible de distinguer, dès le début du Livre de la Genèse, la réalité de la paternité et de la maternité, et donc aussi de la famille humaine. La clé d'interprétation se trouve dans le principe de l'« image » et de la « ressemblance » de Dieu, que le texte biblique met fortement en évidence (*Gn* 1, 26). Dieu crée par la force de sa parole: « Soit! » (par ex. *Gn* 1, 3). Il est significatif que cette parole du Seigneur, dans le cas de la création de l'homme, soit complétée par ces autres paroles: « *Faisons l'homme* à notre image, comme notre ressemblance » (*Gn* 1, 26). Avant de créer l'homme, le Créateur semble rentrer en lui-même pour en chercher le modèle et l'inspiration dans le mystère de son Être, qui, déjà là, se manifeste en quelque sorte comme le « Nous » divin. De ce mystère naît, par mode de création, l'être humain: « *Dieu créa l'homme à son image,* à l'image de Dieu il le créa, *homme et femme* il les créa » (*Gn* 1, 27).

   Dieu dit aux nouveaux êtres, en les bénissant: « Soyez féconds, multipliez-vous, emplissez la terre et soumettez-la » (*Gn* 1, 28). Le Livre de la Genèse emploie des expressions déjà utilisées dans le contexte de la création des autres êtres vivants: « Multipliez-vous », mais leur sens analogique est clair. N'est-ce pas là l'analogie de la génération et de la paternité et maternité, à lire à la lumière de tout le contexte? Aucun des êtres vivants, en dehors de l'homme, n'a été créé « à l'image de Dieu, selon sa ressemblance ». Tout en étant *biologiquement semblables* à celles d'autres êtres de la nature, la paternité et la maternité humaines ont en elles-mêmes, d'une manière essentielle et exclusive, une « *ressemblance* » *avec Dieu,* sur laquelle est fondée la famille entendue comme communauté de vie humaine, comme communauté de personnes unies dans l'amour (*communio personarum*).

À la lumière du Nouveau Testament, il est possible d'entrevoir que *le modèle originel de la famille doit être cherché en Dieu même,* dans le mystère trinitaire de sa vie. Le « Nous » divin constitue le modèle éternel du « nous » humain, et avant tout du « nous » qui est formé de l'homme et de la femme, créés à l'image de Dieu, selon sa ressemblance. Les paroles du Livre de la Genèse contiennent la vérité sur l'homme à laquelle correspond l'expérience même de l'humanité. L'homme, dès « le commencement », est créé masculin et féminin: la vie de la collectivité humaine — des petites communautés comme de la société entière — porte le signe de cette dualité originelle. C'est d'elle que découle le caractère « masculin » ou « féminin » des individus, et c'est d'elle aussi que toute communauté tire sa caractéristique et sa richesse de la complémentarité des personnes. C'est à cela que semble se rapporter cette phrase du Livre de la Genèse: « Homme et femme il les créa » (*Gn.* 1, 27). C'est là aussi la première affirmation de l'égale dignité de l'homme et de la femme: tous deux sont pareillement des personnes. Leur constitution, avec la dignité spécifique qui en découle, établit dès « le commencement » les caractéristiques du bien commun de l'humanité en toute dimension et en tout milieu de vie. À ce bien commun, tous deux, l'homme et la femme, apportent leur contribution propre, grâce à laquelle se trouve, aux racines mêmes de la convivialité humaine, le caractère de communion et de complémentarité.

### L'alliance conjugale

7.    La famille a toujours été considérée comme l'expression première et fondamentale de la *nature sociale* de l'homme. En substance, cette conception n'a pas changé, pas même aujourd'hui. Mais de nos jours on préfère mettre en relief ce qui dans la famille, qui constitue la plus petite communauté humaine de base, vient de l'apport personnel de l'homme et de la femme. La famille est en effet une communauté de personnes, pour lesquelles la vraie façon d'exister et de vivre ensemble est la communion, *communio personarum*. Ici encore, étant sauve la transcendance absolue du Créateur par rapport à la créature, ressort la référence exemplaire au « Nous » divin. *Seules les personnes sont capables d'exister « en communion »*. La famille naît de la communion conjugale, que le Concile Vatican II qualifie d'« alliance », *dans laquelle l'homme et la femme « se donnent et se reçoivent mutuellement »*.[11]

---

[11] Const. past. sur l'Église dans le monde de ce temps *Gaudium et spes,* n. 48.

Le Livre de la Genèse nous ouvre à cette vérité quand il affirme, en référence à la constitution de la famille par le mariage, que « l'homme quitte son père et sa mère et s'attache à sa femme, et ils deviennent une seule chair » (*Gn* 2, 24). Dans l'Évangile, le Christ, en controverse avec les pharisiens, reprend ces mêmes paroles et ajoute: « Ainsi ils ne sont plus deux mais une seule chair. Eh bien! ce que Dieu a uni, l'homme ne doit point le séparer » (*Mt* 19, 6). Il révèle à nouveau le contenu normatif d'un fait qui existait « dès l'origine » (*Mt* 19, 8) et qui conserve toujours en lui-même ce contenu. Si le Maître le confirme « maintenant », il le fait afin de rendre clair et sans équivoque, au seuil de la Nouvelle Alliance, le *caractère indissoluble* du mariage comme *fondement du bien commun de la famille.*

Lorsque, avec l'Apôtre, nous fléchissons les genoux en présence du Père de qui toute paternité et maternité tire son nom (cf. *Ep* 3, 14-15), nous prenons conscience que le fait d'être parents est l'événement par lequel la famille, déjà constituée par l'alliance du mariage, se réalise « au sens plénier et spécifique du terme ».[12] *La maternité suppose nécessairement la paternité* et, réciproquement, *la paternité suppose nécessairement la maternité:* c'est le fruit de la dualité accordée par le Créateur à l'être humain « dès l'origine ».

J'ai mentionné deux concepts voisins mais non identiques: le concept de « communion » et celui de « communauté ». La « *communion* » concerne la relation personnelle entre le « je » et le « tu ». La « *communauté* » dépasse au

---

[12] Exhort. apost. *Familiaris consortio* (22 novembre 1981), n. 69: *AAS* **74** (1982), p. 165.

contraire ce schéma dans la direction d'une « société », d'un « nous ». La famille, communauté de personnes, est donc la première « société » humaine. Elle naît au moment où se réalise l'alliance du mariage, qui ouvre les époux à une communion durable d'amour et de vie et se complète pleinement et d'une manière spécifique par la mise au monde des enfants: la « communion » des époux fait exister la « communauté » familiale. La « communauté » familiale est intimement imprégnée de ce qui constitue l'essence propre de la « communion ». Peut-il y avoir, sur le plan humain, une autre « *communion* » comparable à celle qui s'établit *entre une mère et son enfant,* qu'elle a d'abord porté en son sein puis mis au monde?

Dans la famille ainsi constituée se manifeste une nouvelle unité en laquelle s'accomplit pleinement le rapport « de communion » des parents. L'expérience montre que cet accomplissement est aussi un devoir et un défi. Le devoir oblige les époux et met en œuvre leur alliance originelle. *Les enfants* qu'ils ont engendrés *devraient* — là est le défi — *consolider cette alliance,* en enrichissant et en approfondissant la communion conjugale du père et de la mère. Si cela ne se produit pas, il faut se demander si l'égoïsme, qui se cache même dans l'amour de l'homme et de la femme en raison de l'inclination humaine au mal, n'est pas plus fort que cet amour. Il faut que les époux s'en rendent bien compte. Il faut que, dès le début, ils tournent leurs cœurs et leurs pensées vers Dieu « de qui toute paternité tire son nom », *afin que leur paternité et leur maternité puisent à cette source la force de se renouveler continuellement dans l'amour.*

La paternité et la maternité sont en elles-mêmes une confirmation particulière de l'amour, dont elles permettent de découvrir l'immensité et la profondeur originelles. Mais cela ne se produit pas automatiquement. C'est plutôt une tâche confiée à tous les deux, au mari et à la femme. Dans leur vie, la paternité et la maternité constituent une « nouveauté » et une richesse si admirables qu'on ne peut les aborder qu'« à genoux ».

L'expérience montre que l'amour humain, orienté par nature vers la paternité et la maternité, est parfois atteint par une profonde *crise* et est donc sérieusement menacé. Dans ce cas, il faudra prendre en considération le recours au service des conseillers conjugaux ou familiaux, par l'intermédiaire desquels il est possible de demander, entre autres, l'assistance de psychologues ou de psychothérapeutes. On ne saurait toutefois oublier la valeur permanente des paroles de l'Apôtre: « Je fléchis les genoux en présence du Père de qui toute paternité, au ciel et sur la terre, tire son nom ». Le mariage, le mariage sacramentel, est une alliance de personnes dans l'amour. Et *l'amour ne peut être approfondi et préservé que par l'Amour,* cet Amour qui a été « répandu dans nos cœurs par le Saint-Esprit qui nous fut donné » (*Rm 5, 5*). La prière de l'Année de la Famille ne devrait-elle pas se concentrer sur le point crucial et décisif constitué par le lien dynamique, par le passage de l'amour conjugal à la génération, et par conséquent à la paternité et la maternité? N'est-ce pas précisément là que devient indispensable « l'effusion de la grâce de l'Esprit Saint » demandée dans la célébration liturgique du sacrement de mariage?

L'Apôtre, fléchissant les genoux devant le Père, le supplie de « daigner vous *armer de puissance par son Esprit pour que se fortifie en vous l'homme intérieur* » (Ep 3, 16). Cette « force de l'homme intérieur » est nécessaire dans la vie familiale, spécialement dans ses moments critiques, c'est-à-dire quand l'amour, qui a été exprimé au cours du rite liturgique de l'échange des consentements par les paroles « Je promets de te rester fidèle... tous les jours de ma vie », est appelé à surmonter une difficile épreuve.

## L'unité des deux

8.    Seules les « personnes » sont en mesure de prononcer ces paroles; elles seules sont capables de vivre « en communion » en se fondant sur le choix réciproque qui est, ou qui devrait être, pleinement conscient et libre. Le Livre de la Genèse, lorsqu'il parle de l'homme qui quitte son père et sa mère pour s'attacher à sa femme (cf. *Gn* 2, 24), met en lumière *le choix conscient et libre* qui donne naissance au mariage, faisant d'un fils un mari, et d'une fille une épouse. Comment comprendre d'une façon adéquate ce choix réciproque si l'on n'a pas devant les yeux la pleine vérité de la personne, c'est-à-dire de l'être rationnel et libre? Le Concile Vatican II parle de la ressemblance avec Dieu en des termes on ne peut plus significatifs. Il ne se réfère pas seulement à l'image et à la ressemblance divines que tout être humain possède déjà par lui-même, mais aussi et surtout à « une certaine ressemblance entre l'union des

Personnes divines et celle des fils de Dieu dans la vérité et dans l'amour ».[13]

Cette formulation, particulièrement riche de sens, confirme avant tout ce qui détermine l'identité profonde de tout homme et de toute femme. Cette identité consiste dans *la capacité de vivre dans la vérité et dans l'amour;* plus encore, elle consiste dans le besoin de vérité et d'amour, dimension constitutive de la vie de la personne. Ce besoin de vérité et d'amour ouvre l'homme à Dieu ainsi qu'aux créatures: il l'ouvre aux autres personnes, à la vie « en communion », et spécialement au mariage et à la famille. Dans les paroles du Concile, la « communion » des personnes découle en un sens du mystère du « Nous » trinitaire et donc la « communion conjugale » se rattache, elle aussi, à ce mystère. La famille, qui naît de l'amour de l'homme et de la femme, est fondamentalement issue du mystère de Dieu. Cela correspond à l'essence la plus intime de l'homme et de la femme, à leur dignité innée et authentique de personnes.

Dans le mariage, l'homme et la femme s'unissent d'une façon tellement étroite qu'ils deviennent, selon les paroles du Livre de la Genèse, « une seule chair » (*Gn* 2, 24). Homme et femme de par leur constitution physique, les deux sujets humains, bien que différents corporellement, *partagent d'une manière égale la capacité de vivre « dans la vérité et dans l'amour ».* Cette capacité, qui caractérise l'être humain comme personne, a une dimension à la fois spirituelle et corporelle. C'est aussi à travers le corps que l'homme et la

---

[13] Const. past. sur l'Église dans le monde de ce temps *Gaudium et spes,* n. 24.

femme sont préparés à former une « communion de personnes » dans le mariage. Quand, en vertu de l'alliance conjugale, ils s'unissent au point de devenir « *une seule chair* » (*Gn* 2, 24), leur *union* doit se réaliser « *dans la vérité et dans l'amour* », mettant ainsi en lumière la maturité propre des personnes créées à l'image de Dieu, selon sa ressemblance.

La famille qui en découle reçoit sa solidité interne de l'alliance entre les époux, dont le Christ a fait un sacrement. Elle trouve sa nature communautaire, ou plutôt son caractère de « communion », dans la communion fondamentale des époux, qui se prolonge dans les enfants. « *Êtes-vous disposés à accueillir avec amour les enfants que Dieu voudra vous donner et à les éduquer ...?* », demande le célébrant au cours de la cérémonie du mariage.[14] La réponse des époux exprime la vérité intime de l'amour qui les unit. Toutefois leur unité, au lieu de les renfermer sur eux-mêmes, les ouvre à une vie nouvelle, à une personne nouvelle. Comme parents, ils seront capables de donner la vie à un être semblable à eux, non seulement « chair de leur chair et os de leurs os » (cf. *Gn* 2, 23), mais image et ressemblance de Dieu, c'est-à-dire une personne.

En demandant « Êtes-vous disposés? », l'Église rappelle aux nouveaux époux qu'ils se trouvent *devant la puissance créatrice de Dieu*. Ils sont appelés à devenir parents, c'est-à-dire à coopérer avec le Créateur pour donner la vie. Coopérer avec Dieu pour appeler de nouveaux êtres hu-

---

[14] *Rituale Romanum, Ordo celebrandi matrimonium,* n. 60, éd. cit., p. 17.

mains à la vie, cela signifie contribuer à la transmission de l'image et ressemblance divines que reflète quiconque est « né d'une femme ».

## La généalogie de la personne

9.    Par la communion des personnes qui se réalise dans le mariage, l'homme et la femme fondent une famille. À la famille est liée la généalogie de tout homme: *la généalogie de la personne*. La paternité et la maternité humaines sont enracinées dans la biologie et en même temps elles la dépassent. L'Apôtre, qui fléchit « les genoux en présence du Père de qui toute paternité [et toute maternité], au ciel et sur la terre, tire son nom », nous met en quelque sorte sous les yeux tout le monde des êtres vivants, depuis les êtres spirituels des cieux jusqu'aux êtres corporels de la terre. Toute génération trouve son modèle originel dans la paternité de Dieu. Toutefois, dans le cas de l'homme, cette dimension « cosmique » de ressemblance avec Dieu ne suffit pas à définir de manière adéquate le rapport de paternité et de maternité. Quand, de l'union conjugale des deux, naît un nouvel homme, il apporte avec lui au monde une image et une ressemblance particulières avec Dieu lui-même: *dans la biologie de la génération est inscrite la généalogie de la personne.*

En affirmant que les époux, en tant que parents, sont des coopérateurs de Dieu Créateur dans la conception et la génération d'un nouvel être humain,[15] nous ne nous référons pas

---

[15] Cf. Exhort. apost. *Familiaris consortio* (22 novembre 1981), n. 28: *AAS* 74 (1982), p. 114.

seulement aux lois de la biologie; nous entendons plutôt souligner que, *dans la paternité et la maternité humaines, Dieu lui-même est présent* selon un mode différent de ce qui advient dans toute autre génération « sur la terre ». En effet, c'est de Dieu seul que peut provenir cette « image », cette « ressemblance » qui est propre à l'être humain, comme cela s'est produit dans la création. La génération est la continuation de la création.[16]

Ainsi donc, dans la conception comme dans la naissance d'un nouvel homme, les parents se trouvent devant un « grand mystère » (*Ep* 5, 32). *Le nouvel être humain,* de la même façon que ses parents, *est appelé,* lui aussi, à l'existence en tant que personne; il est appelé *à la vie « dans la vérité et dans l'amour* ». Cet appel ne concerne pas seulement ce qui est dans le temps, mais, en Dieu, c'est aussi un appel qui ouvre à l'éternité. Telle est la dimension de la généalogie de la personne que le Christ a définitivement révélée, en projetant la lumière de son Évangile sur la vie et sur la mort humaines, et donc sur la signification de la famille humaine.

Comme l'affirme le Concile, l'homme est la « seule créature sur terre que Dieu a voulue pour elle-même ».[17] La genèse de l'homme ne répond pas seulement aux lois de la biologie, elle répond directement à la volonté créatrice de Dieu, c'est-à-dire à la volonté qui concerne la généalogie des fils et des filles des familles humaines. *Dieu « a voulu » l'homme dès le commencement et Dieu le « veut » dans toute conception et dans toute naissance humaines.* Dieu « veut » l'homme comme

---

[16] Cf. Pie XII, Encycl. *Humani generis* (12 août 1950): *AAS* 42 (1950), p. 574.
[17] Const. past. sur l'Église dans le monde de ce temps *Gaudium et spes*, n. 24.

être semblable à lui, comme personne. Cet homme, tout homme, est créé par Dieu « *pour lui-même* ». Cela concerne tous les êtres humains, y compris ceux qui naissent avec des maladies ou des infirmités. Dans la constitution personnelle de chacun est inscrite la volonté de Dieu, qui veut que la fin de l'homme soit en un sens lui-même. Dieu remet l'homme à lui-même, en le confiant en même temps à la responsabilité de la famille et de la société. Devant un nouvel être humain, les parents ont ou devraient avoir la pleine conscience du fait que Dieu « veut » cet être « pour lui-même ».

Cette expression synthétique est très riche et très profonde. Depuis l'instant de sa conception, puis de sa naissance, le nouvel être est destiné à *exprimer en plénitude son humanité,* à « se trouver » [18] comme personne. Cela vaut absolument pour tous, même pour les malades chroniques et les personnes handicapées. « Être homme » est sa vocation fondamentale: « être homme » à la mesure du don reçu. À la mesure de ce « talent » qu'est l'humanité même et, ensuite seulement, à la mesure des autres talents. En ce sens, Dieu veut tout homme « pour lui-même ». Toutefois, *dans le dessein de Dieu,* la vocation de la personne va au-delà des limites du temps. Elle rejoint la volonté du Père, révélée dans le Verbe incarné: *Dieu veut étendre à l'homme la participation à sa vie divine elle-même.* Le Christ dit: « Je suis venu pour que les hommes aient la vie, pour qu'ils l'aient en abondance » (*Jn* 10, 10).

Le destin ultime de l'homme n'est-il pas en désaccord avec l'affirmation que Dieu veut l'homme « pour lui-

---

[18] *Ibid.*

24

même »? Si l'homme est créé pour la vie divine, existe-t-il vraiment « pour lui-même »? Voilà une question clé, de grande importance au commencement comme à la fin de son existence terrestre: elle est importante pour tout le cours de la vie. En destinant l'homme à la vie divine, il pourrait sembler que Dieu le soustraie définitivement à son existence « pour lui-même ».[19] Quel est le rapport qui existe entre la vie de la personne et la participation à la vie trinitaire? Saint Augustin nous répond par les célèbres paroles: « Notre cœur est sans repos jusqu'à ce qu'il se repose en toi ».[20] Ce « cœur sans repos » montre qu'il n'y a aucune contradiction entre l'une et l'autre finalités, qu'il y a au contraire un lien, une coordination, une unité profonde. Par sa généalogie même, la personne, créée à l'image et à la ressemblance de Dieu, *en participant à sa Vie, existe « pour elle-même »* et se réalise. Le contenu de cette réalisation est la plénitude de la Vie en Dieu, celle dont parle le Christ (cf. *Jn* 6, 37-40), qui justement nous a rachetés pour nous introduire dans cette Vie (cf. *Mc* 10, 45).

Les époux désirent des enfants pour eux-mêmes; et ils voient en eux le couronnement de leur amour réciproque. Ils les désirent pour la famille, comme *un don très précieux.*[21] C'est un désir qui se comprend dans une certaine mesure. Toutefois, dans l'amour conjugal ainsi que dans l'amour paternel et maternel doit s'inscrire la vérité sur l'homme, qui a

---

[19] *Ibid.*

[20] *Confessions,* I, 1: *CCL,* 27, 1.

[21] Cf. Conc. œcum. Vat. II, Const. past. sur l'Église dans le monde de ce temps *Gaudium et spes,* n. 50.

été exprimée d'une manière synthétique et précise par le Concile, en affirmant que Dieu « veut l'homme pour lui-même ». Pour cela, il faut que la volonté des parents soit en harmonie avec celle de Dieu: en ce sens, *il doivent vouloir la nouvelle créature humaine comme le Créateur la veut*: « pour elle-même ». La volonté humaine est toujours et inévitablement soumise à la loi du temps et de la caducité. La volonté divine, au contraire, est éternelle. « Avant même de te former au ventre maternel, je t'ai connu — lit-on dans le Livre du Prophète Jérémie —; avant même que tu sois sorti du sein, je t'ai consacré » (1, 5). La généalogie de la personne est donc liée avant tout à l'éternité de Dieu, ensuite seulement à la paternité et à la maternité humaines qui se réalisent dans le temps. A l'instant même de sa conception, l'homme est déjà ordonné à l'éternité en Dieu.

## Le bien commun du mariage et de la famille

10.　Le consentement matrimonial détermine et stabilise *le bien qui est commun au mariage et à la famille*. « Je te prends ... pour épouse — pour époux — et je promets de te rester fidèle dans le bonheur et dans l'épreuve, dans la maladie et la bonne santé, pour t'aimer et te respecter tous les jours de ma vie ».[22] Le mariage est une communion unique de personnes. Fondée sur cette communion, la famille est appelée à devenir une communauté de personnes. C'est un engagement que les nouveaux époux prennent « devant Dieu et devant l'Église », comme le célébrant le leur rappelle

---

[22] *Rituale Romanum, Ordo celebrandi matrimonium,* n. 62, éd. cit., p. 17.

au moment de l'échange des consentements.[23] Ceux qui participent à la cérémonie sont témoins de cet engagement; en eux sont représentées en un sens l'Église et la société, milieux de vie de la nouvelle famille.

Les paroles du consentement matrimonial définissent ce qui constitue le bien commun *du couple et de la famille*. Avant tout, le bien commun des époux: l'amour, la fidélité, le respect, la durée de leur union jusqu'à la mort, « tous les jours de la vie ». Le bien de tous les deux, qui est en même temps le bien de chacun, doit devenir ensuite le bien des enfants. Le bien commun, par sa nature, tout en unissant les personnes, assure le vrai bien de chacune. Si l'Église, comme du reste l'État, reçoit le consentement des époux selon les termes indiqués plus haut, elle le fait parce c'est « inscrit en leur cœur » (*Rm* 2, 15). Ce sont les époux qui se donnent réciproquement le consentement matrimonial en prêtant serment, c'est-à-dire en confirmant devant Dieu la vérité de leur consentement. En tant que baptisés, ils sont, dans l'Église, les ministres du sacrement du mariage. Saint Paul enseigne que leur engagement mutuel est un « grand mystère » (*Ep* 5, 32).

Les paroles du consentement expriment donc ce qui constitue le bien commun des époux et *elles indiquent ce qui doit être le bien commun de la future famille*. Pour le mettre en évidence, l'Église leur demande s'ils sont disposés à accueillir et à éduquer chrétiennement les enfants que Dieu voudra leur donner. Cette demande se réfère au bien

---

[23] *Ibid.,* n. 61, éd. cit., p. 17.

commun du futur noyau familial, compte tenu de la généalogie des personnes inscrite dans la constitution même du mariage et de la famille. La demande au sujet des enfants et de leur éducation est étroitement liée au consentement conjugal, au serment d'amour, de respect conjugal, de fidélité jusqu'à la mort. L'accueil et l'éducation des enfants, qui sont deux des fins principales de la famille, dépendent de la façon dont on tient cet engagement. La paternité et la maternité représentent *une tâche de nature non seulement physique mais spirituelle;* car la généalogie de la personne, qui a son commencement éternel en Dieu et qui doit conduire à lui, passe par elles.

L'Année de la Famille, qui sera une année de prière particulière de la part des familles, devrait rendre chaque famille consciente de tout cela d'une manière nouvelle et profonde. Quelle abondance de thèmes bibliques pourrait nourrir cette prière! Mais il faut qu'aux paroles de la Sainte Écriture on joigne toujours *la mention personnelle des époux-parents,* comme celle des enfants et des petits-enfants. Par la généalogie des personnes, la communion conjugale *devient communion des générations.* L'union sacramentelle des deux, scellée dans l'alliance contractée devant Dieu, persiste et se consolide dans la succession des générations. Elle doit devenir unité de prière. Mais pour qu'elle puisse rayonner d'une façon significative pendant l'Année de la Famille, il est nécessaire que la prière devienne une habitude enracinée dans la vie quotidienne de chaque famille. La prière est action de grâce, louange à Dieu, demande de pardon, supplication et invocation. Sous chacune de ces formes, *la prière de la famille a beaucoup à dire à Dieu.* Elle a également beaucoup à dire aux hommes, à commencer par la communion réciproque des personnes qu'unissent des liens de famille.

« Qu'est-ce que l'homme pour que tu penses à lui? » (*Ps 8, 5*), se demande le psalmiste. La prière est le lieu où, de la manière la plus simple, on fait mémoire de Dieu Créateur et Père. Et ce n'est pas seulement, ni tellement, l'homme qui se souvient de Dieu, mais plutôt *Dieu qui se souvient de l'homme.* C'est pour cela que la prière de la communauté familiale peut devenir le lieu du souvenir commun et réciproque, car la famille est communauté de générations. Tous doivent être présents dans la prière: les vivants, les morts et aussi ceux qui doivent encore venir au monde. Il faut que dans la famille on prie pour chaque personne, en fonction du bien qu'est la famille pour elle et du bien qu'elle apporte à la famille. La prière raffermit davantage ce bien, précisément comme bien familial commun. Mieux, elle fait naître ce bien, d'une manière toujours nouvelle. Dans la prière, la famille se retrouve comme le premier « nous » dans lequel chacun est « *je* » et « *tu* »; chacun est pour l'autre respectivement mari ou femme, père ou mère, fils ou fille, frère ou sœur, grand-père ou petit-fils.

Sont-elles ainsi, les familles auxquelles j'adresse cette Lettre? Certes, beaucoup le sont; mais, en ces temps où nous vivons, apparaît la tendance à restreindre le noyau familial à deux générations. Cela est dû souvent aux dimensions modestes des logements disponibles, surtout dans les grandes villes. Mais il n'est pas rare que cela soit dû aussi à la conviction que la cohabitation de plusieurs générations constitue un obstacle à l'intimité et rend la vie trop difficile. Mais n'est-ce pas là une grande faiblesse? *On trouve peu de vie humaine dans les familles d'aujourd'hui.* Il n'y a plus que peu de personnes avec qui créer et partager le bien commun; et pourtant, par nature, le bien demande à être créé et partagé avec d'autres, « *bonum est diffusivum sui* », « le bien tend à se communiquer ».[24] Plus le bien est *commun,* plus il est *particulier également:* mien, tien, nôtre. Telle est la logique intrinsèque de l'existence dans le bien, dans la vérité et dans la charité. Si l'homme sait accueillir cette logique et la suivre, son existence devient vraiment un « don désintéressé ».

### Le don désintéressé de soi

11.    Quand il affirme que l'homme est l'unique créature sur terre voulue de Dieu pour elle-même, le Concile ajoute aussitôt qu'il « *ne peut pleinement se trouver que par le don désintéressé de lui-même* ».[25] Cela pourrait sembler contradictoire, mais ce ne l'est nullement. C'est plutôt le grand et merveilleux paradoxe de l'existence humaine: une existence appelée *à servir la vérité dans l'amour.* L'amour amène l'homme à se réaliser par le don désintéressé de lui-même. Aimer signifie donner et recevoir ce qu'on ne peut ni acquérir ni vendre, mais seulement accorder librement et mutuellement.

Le don de la personne requiert par nature d'être durable et irrévocable. L'indissolubilité du mariage découle en premier lieu de l'essence de ce don: *don de la personne à la personne.* Dans ce don réciproque est manifesté *le caractère*

---

[24] S. Thomas d'Aquin, *Somme théologique,* I, q. 5, a. 4, ad 2.
[25] Const. past. sur l'Église dans le monde de ce temps *Gaudium et spes,* n. 24.

*sponsal de l'amour.* Dans le consentement matrimonial, les fiancés s'appellent par leur nom: « *Moi ... je te prends ...* pour épouse (pour époux) et je promets de te rester fidèle... tous les jours de ma vie ». Un tel don lie beaucoup plus fortement et beaucoup plus profondément que tout ce qui peut être « acquis » de quelque manière et à quelque prix que ce soit. Fléchissant les genoux devant le Père, de qui vient toute paternité et toute maternité, les futurs parents deviennent conscients d'avoir été « rachetés ». En effet, ils ont été acquis à grand prix, *au prix* du don le plus désintéressé qui soit, *le sang du Christ,* auquel ils participent par le sacrement. Le couronnement liturgique du rite matrimonial est l'Eucharistie — sacrifice du « corps donné » et du « sang répandu » —, qui trouve en quelque sorte son expression dans le consentement des époux.

Quand, dans le mariage, l'homme et la femme se donnent et se reçoivent réciproquement dans l'unité d'« une seule chair », la logique du don désintéressé entre dans leur vie. Sans elle, le mariage serait vide, alors que la communion des personnes, édifiée suivant cette logique, devient la communion des parents. Quand les époux transmettent *la vie à leur enfant, un nouveau « tu » humain s'inscrit sur l'orbite de leur « nous »,* une personne qu'ils appelleront d'un nom nouveau: « Notre fils...; notre fille... ». « J'ai acquis un homme de par le Seigneur » (*Gn* 4, 1), dit Ève, la première femme de l'histoire: un être humain, d'abord attendu pendant neuf mois puis « manifesté » aux parents, aux frères et sœurs. Le processus de la conception et du développement dans le sein maternel, de l'accouchement, de la naissance, tout cela sert à créer comme un espace approprié pour que

31

la nouvelle créature puisse se manifester comme « don », car c'est ce qu'elle est dès le début. Cet être fragile et sans défense, dépendant de ses parents pour tout et entièrement remis à leurs soins, pourrait-il être désigné autrement? Le nouveau-né se donne à ses parents par le fait même de venir au jour. *Son existence est déjà un don, le premier don du Créateur à la créature.*

*Dans le nouveau-né se réalise le bien commun de la famille.* De même que le bien commun des époux s'achève dans l'amour sponsal, prêt à donner et à accueillir la nouvelle vie, ainsi le bien commun de la famille se réalise par le même amour sponsal concrétisé dans le nouveau-né. Dans la généalogie de la personne est inscrite la généalogie de la famille, portée sur les registres des baptêmes en perpétuelle mémoire, même si cet enregistrement n'est que la conséquence sociale du fait « qu'un homme est venu au monde » (cf. *Jn* 16, 21).

Mais est-il vrai que le nouvel être humain est un don pour les parents? Que c'est un don pour la société? Apparemment rien ne semble l'indiquer. La naissance d'un homme paraît être parfois une simple donnée statistique, enregistrée comme tant d'autres dans les bilans démographiques. Certes, la naissance d'un enfant signifie, pour les parents, des fatigues à venir, de nouvelles charges économiques, d'autres contraintes pratiques: autant de motifs qui peuvent susciter en eux la tentation de ne pas désirer une autre naissance.[26] Dans certains milieux sociaux et culturels,

---

[26] Cf. Encycl. *Sollicitudo rei socialis* (30 décembre 1987), n. 25: *AAS* 80 (1988), pp. 543-544.

cette tentation se fait plus forte. L'enfant n'est donc pas un don? Vient-il seulement pour prendre et non pour donner? Voilà quelques questions inquiétantes, dont l'homme d'aujourd'hui a du mal à se libérer. L'enfant *vient prendre de la place, alors que dans le monde l'espace semble se faire toujours plus rare.* Mais est-il vrai qu'il n'apporte rien à la famille et à la société? Ne serait-il pas un « élément » du bien commun sans lequel les communautés humaines se désagrègent et risquent la mort? Comment le nier? L'enfant fait don de lui-même à ses frères, à ses sœurs, à ses parents, à toute sa famille. *Sa vie devient un don pour les auteurs mêmes de la vie,* qui ne pourront pas ne pas sentir la présence de leur enfant, sa participation à leur existence, son apport à leur bien commun et à celui de la communauté familiale. C'est là une vérité qui demeure évidente dans sa simplicité et sa profondeur, malgré la complexité, et aussi l'éventuelle pathologie, de la structure psychologique de certaines personnes. *Le bien commun de la société entière réside dans l'homme,* qui, comme on l'a rappelé, est « la route de l'Église ».[27] Il est avant tout la « gloire de Dieu »: « *Gloria Dei vivens homo* », « la gloire de Dieu, c'est l'homme vivant », selon la formule bien connue de saint Irénée,[28] qui pourrait aussi se traduire: « La gloire de Dieu, c'est que l'homme vive ». Nous sommes ici, pourrait-on dire, en présence de la plus haute définition de l'homme: *la gloire de Dieu est le bien commun de tout ce qui existe;* c'est le bien commun du genre humain.

[27] Encycl. *Redemptor hominis* (4 mars 1979), n. 14: *AAS* 71 (1979), pp. 884-885; cf. Encycl. *Centesimus annus* (1ᵉʳ mai 1991), n. 53: *AAS* 83 (1991), p. 859.
[28] *Adversus hæreses*, IV, 20, 7: *PG* 7, 1057; *SCh* 100/2, pp. 648-649.

Oui, *l'homme est un bien commun:* bien commun de la famille et de l'humanité, des divers groupes et des multiples structures sociales. Il faut faire toutefois une distinction significative de degré et de modalité: par exemple, l'homme est le bien commun de la nation à laquelle il appartient ou de l'État dont il est le citoyen; mais il l'est d'une façon bien plus concrète, absolument unique, pour sa famille; il l'est non seulement comme individu qui fait partie de la multitude humaine, mais comme « *cet homme* ». Dieu Créateur l'appelle à l'existence « pour lui-même », et, lorsqu'il vient au monde, l'homme commence, dans la famille, sa « grande aventure », l'aventure de la vie. « Cet homme », en tout cas, *a le droit de s'affirmer lui-même en raison de sa dignité humaine.* C'est précisément cette dignité qui doit déterminer la place de la personne parmi les hommes, et avant tout dans la famille. Car, plus que toute autre réalité humaine, la famille est le milieu dans lequel l'homme peut exister « pour lui-même » par le don désintéressé de soi. C'est pourquoi elle reste une institution sociale qu'on ne peut pas et qu'on ne doit pas remplacer: elle est « le sanctuaire de la vie ».[29]

Le fait que naît un homme, qu'« un être humain est venu au monde » (cf. *Jn* 16,21), constitue un *signe pascal.* Jésus lui-même en parle à ses disciples, selon l'évangéliste Jean, avant sa passion et sa mort, comparant la tristesse causée par son départ à la souffrance d'une femme qui enfante: « *La femme, sur le point d'accoucher, s'attriste* (c'est-à-dire souffre) parce que son heure est venue; mais, lorsqu'elle a donné le

---

[29] Encycl. *Centesimus annus* (1er mai 1991), n. 39: *AAS* 83 (1991), p. 842.

jour à l'enfant, elle ne se souvient plus des douleurs, *dans la joie qu'un homme soit venu au monde* » (*Jn* 16, 21). L'« heure » de la mort du Christ (cf. *Jn* 13,1) est ici comparée à l'« heure » de la femme dans les douleurs de l'enfantement; la naissance d'un nouvel homme se compare à la victoire de la vie sur la mort remportée par la résurrection du Seigneur. Ce rapprochement suscite diverses réflexions. De même que la résurrection du Christ est la manifestation de la *Vie* au-delà du seuil de la mort, de même la naissance d'un enfant est aussi manifestation de la vie, toujours destinée, par le Christ, à la « *plénitude de la Vie* » *qui est en Dieu même:* « Je suis venu pour qu'on ait la vie, et qu'on l'ait surabondante » (*Jn* 10, 10). Voilà révélé dans sa valeur profonde le vrai sens de l'expression de saint Irénée: « *Gloria Dei vivens homo* ».

C'est la vérité évangélique du don de soi, sans lequel l'homme ne peut « pleinement se trouver », qui permet de comprendre à quelle profondeur ce « don désintéressé » s'enracine dans le don du Dieu Créateur et Rédempteur, dans « la grâce de l'Esprit Saint » dont le célébrant demande l'effusion sur les époux au cours de la cérémonie du mariage. Sans cette « effusion », il serait vraiment difficile de comprendre tout cela et de le réaliser comme la vocation de l'homme. Mais bien des personnes comprennent cela! Beaucoup d'hommes et de femmes accueillent cette vérité et arrivent à entrevoir que c'est en elle seulement qu'ils trouvent « la Vérité et la Vie » (*Jn* 14, 6). *Sans cette vérité, la vie des époux et de la famille ne peut parvenir à son sens pleinement humain.*

Voilà pourquoi l'Église ne se lasse jamais d'enseigner cette vérité et de lui rendre témoignage. Tout en faisant preuve de compréhension maternelle pour les nombreuses et complexes situations de crise dans lesquelles les familles se trouvent impliquées et pour la fragilité morale de tout être humain, l'Église est convaincue qu'elle doit absolument demeurer fidèle à la vérité sur l'amour humain; autrement, elle se trahirait elle-même. S'éloigner de cette vérité salvifique serait en effet comme fermer « les yeux du cœur » (*Ep* 1, 18), qui doivent au contraire rester toujours ouverts à la lumière que l'Évangile projette sur les vicissitudes de l'humanité (cf. *2 Tm* 1, 10). La conscience de ce don de soi désintéressé par lequel l'homme « se trouve lui-même » est à renouveler sérieusement et à garantir constamment, face aux nombreuses oppositions que l'Église rencontre de la part des partisans d'une fausse civilisation du progrès.[30] La famille exprime toujours une nouvelle dimension du bien pour les hommes, et c'est pourquoi elle crée une nouvelle responsabilité. Il s'agit de *la responsabilité pour le bien commun particulier* où réside le bien de l'homme, le bien de tout membre de la communauté familiale. Certes, c'est un bien « difficile », (« *bonum arduum* »), mais c'est aussi un bien merveilleux.

### La paternité et la maternité responsables

12.    Dans le développement de la présente Lettre aux Familles, le moment est venu d'évoquer deux questions qui sont liées. L'une, plus générale, concerne *la civilisation de*

---

[30] Cf. Encycl. *Sollicitudo rei socialis* (30 décembre 1987), n. 25: *AAS* 80 (1988), pp. 543-544.

*l'amour;* l'autre, plus spécifique, porte sur *la paternité et la maternité responsables.*

Nous avons déjà dit que le mariage entraîne une singulière responsabilité envers le bien commun, celui des époux d'abord, puis celui de la famille. Ce bien commun est constitué par l'homme, par *la valeur de la personne* et par tout ce qui donne *la mesure de sa dignité.* L'homme porte en lui cette dignité dans tous les systèmes sociaux, économiques ou politiques. Cependant, dans le cadre du mariage et de la famille, cette responsabilité « engage » encore plus, pour de nombreux motifs. Ce n'est pas sans raison que la constitution pastorale *Gaudium et spes* parle de « *mettre en valeur la dignité du mariage et de la famille* ». Le Concile considère cette « mise en valeur » comme une tâche qui incombe à l'Église et aussi à l'État; mais, dans toutes les cultures, elle reste d'abord le devoir des personnes qui, unies dans le mariage, forment une famille déterminée. « La paternité et la maternité responsables » désignent l'action concrète de mettre en œuvre ce devoir qui, dans le monde contemporain, présente des caractéristiques nouvelles.

En particulier, « la paternité et la maternité responsables » se rapportent directement au moment où l'homme et la femme, s'unissant « en une seule chair », peuvent devenir parents. C'est un moment riche et spécialement significatif pour leurs relations interpersonnelles comme pour le service qu'ils rendent à la vie: ils peuvent devenir parents — père et mère — en communiquant la vie à un nouvel être humain. *Les deux dimensions de l'union conjugale,* l'union et la procréation, *ne peuvent être séparées artifi-*

*ciellement* sans altérer la vérité intime de l'acte conjugal même.[31]

Tel est l'enseignement constant de l'Église; et les « signes des temps » dont nous sommes témoins aujourd'hui nous donnent de nouvelles raisons de le répéter avec une particulière insistance. Saint Paul, si attentif aux nécessités pastorales de son époque, demandait clairement et fermement d'« insister à temps et à contretemps » (cf. *2 Tm* 4, 2), sans se laisser effrayer par le fait que « l'on ne supporte plus la saine doctrine » (cf. *2 Tm* 4, 3). Ses paroles sont familières à ceux qui, comprenant en profondeur ce qui se produit à notre époque, attendent de l'Église non seulement qu'elle n'abandonne pas « la saine doctrine », mais qu'elle l'annonce avec une énergie renouvelée, recherchant dans les « signes des temps » actuels les raisons providentielles de l'approfondir davantage.

Beaucoup de ces raisons se retrouvent dans les domaines des sciences mêmes qui, à partir de l'ancien tronc commun de l'anthropologie, se sont développées en *différentes spécialités,* telles que la biologie, la psychologie, la sociologie et leurs ramifications ultérieures. *Toutes tournent d'une certaine manière autour de la médecine,* en même temps science et art (*ars medica*), au service de la vie et de la santé de l'homme. Mais les raisons ici évoquées découlent surtout de l'expérience humaine qui est multiple et qui, en un sens, précède et suit la science elle-même.

---

[31] Cf. PAUL VI, Encycl. *Humanae vitae* (25 juillet 1968), n. 12: *AAS* 60 (1968), pp. 488-489; *Catéchisme de l'Église catholique,* n. 2366.

*Les époux apprennent par leur propre expérience ce que signifient la paternité et la maternité responsables;* ils l'apprennent également grâce à l'expérience d'autres couples qui vivent dans des conditions analogues, et ils sont ainsi plus ouverts aux données des sciences. On pourrait dire que les « savants » reçoivent en quelque sorte un enseignement de la part des « époux », pour être à leur tour en mesure de les instruire de façon plus compétente sur le sens de la procréation responsable et sur les manières de la pratiquer.

Ce thème a été amplement traité dans les documents conciliaires, dans l'encyclique *Humanae vitae,* dans les « Propositions » du Synode des Évêques de 1980, dans l'exhortation apostolique *Familiaris consortio,* et dans des interventions du même ordre, jusqu'à l'instruction *Donum vitae* de la Congrégation pour la Doctrine de la Foi. L'Église enseigne la vérité morale sur la paternité et la maternité responsables, *en la défendant face aux conceptions et aux tendances erronées répandues aujourd'hui.* Pourquoi l'Église le fait-elle? Serait-ce qu'elle ne saisit pas le point de vue de ceux qui, dans ce domaine, conseillent des accommodements et qui cherchent à la convaincre même par des pressions indues, si ce n'est même par des menaces? En effet, on reproche souvent au Magistère de l'Église d'être maintenant dépassé et fermé aux requêtes de l'esprit des temps modernes, de mener une action nocive pour l'humanité et, plus encore, pour l'Église elle-même. En s'obstinant à rester sur ses positions — dit-on —, l'Église finira par perdre de sa popularité et les croyants s'éloigneront d'elle.

Mais comment soutenir que *l'Église,* et spécialement l'Épiscopat en communion avec le Pape, est *insensible à des problèmes si graves et si actuels?* Paul VI y percevait précisément des questions si vitales qu'elles le poussèrent à publier l'encyclique *Humanae vitae.* Le fondement sur lequel repose la doctrine de l'Église concernant la paternité et la maternité responsables est on ne peut plus ample et solide. *Le Concile le montre avant tout dans son enseignement sur l'homme,* lorsqu'il affirme que celui-ci est la « seule créature sur terre que Dieu a voulue pour elle-même » et qu'il « ne peut pleinement se trouver que par le don désintéressé de lui-même »; [32] et cela parce qu'il a été créé à l'image et à la ressemblance de Dieu, et racheté par le Fils unique du Père fait homme pour nous et pour notre salut.

Le Concile Vatican II, particulièrement attentif au problème de l'homme et de sa vocation, déclare que l'union conjugale, « *una caro* », « une seule chair » selon l'expression biblique, ne peut être totalement comprise et expliquée *qu'en recourant aux valeurs de la « personne » et du « don ».* Tout homme et toute femme se réalisent pleinement par le don désintéressé d'eux-mêmes et, pour les époux, le moment de l'union conjugale en constitue une expérience tout à fait spécifique. C'est alors que l'homme et la femme, dans la « vérité » de leur masculinité et de leur féminité, deviennent un don réciproque. Toute la vie dans le mariage est un don; mais cela devient particulièrement évident lorsque les époux, s'offrant mutuellement dans l'amour, réalisent cette rencontre qui fait des deux « une seule chair » (*Gn* 2, 24).

Ils vivent alors *un moment de responsabilité spéciale,* notamment du fait de la faculté procréatrice de l'acte

---

[32] Const. past. sur l'Église dans le monde de ce temps *Gaudium et spes,* n. 24.

conjugal. Les époux peuvent, à ce moment, devenir père et mère, engageant le processus d'une nouvelle existence humaine qui, ensuite, se développera dans le sein de la femme. Si c'est la femme qui se rend compte la première qu'elle est devenue mère, l'homme avec qui elle s'est unie en « une seule chair » prend conscience à son tour, sur sa parole, qu'il est devenu père. Tous deux ont la responsabilité de la paternité et de la maternité potentielles, et ensuite effective. L'homme ne peut pas ne pas reconnaître, ou ne pas accepter, le résultat d'une décision qui a été aussi la sienne. Il ne peut pas se réfugier dans des paroles comme: « je ne sais pas », « je ne voulais pas », « c'est toi qui l'as voulu ». Dans tous les cas, l'union conjugale implique *la responsabilité de l'homme et de la femme,* responsabilité potentielle qui devient effective lorsque les circonstances l'imposent. Cela vaut surtout pour l'homme qui, tout en étant lui aussi agent de l'engagement du processus de génération, en reste biologiquement à l'écart, puisque c'est dans la femme qu'il se développe. Comment l'homme pourrait-il n'en faire aucun cas? Il faut que tous deux, l'homme et la femme, prennent en charge ensemble, vis-à-vis d'eux-mêmes et vis-à-vis des autres, la responsabilité de la vie nouvelle qu'ils ont suscitée.

C'est là une conclusion qui est adoptée par les sciences humaines elles-mêmes. Il convient cependant d'aller plus à fond et d'analyser le sens de l'acte conjugal à la lumière des valeurs déjà mentionnées de la « personne » et du « don ». L'Église le fait par son enseignement constant, en particulier celui du Concile Vatican II.

Au moment de l'acte conjugal, l'homme et la femme sont appelés à confirmer de manière responsable *le don mutuel* qu'ils ont fait d'eux-mêmes dans l'alliance du mariage. Or la logique du *don total de soi à l'autre* comporte l'ouverture potentielle à la procréation: le mariage est ainsi appelé à se réaliser encore plus pleinement dans la famille. Certes, le don réciproque de l'homme et de la femme n'a pas pour seule fin la naissance des enfants, car il est en lui-même communion d'amour et de vie. Il faut que soit toujours *préservée la vérité intime de ce don.* « Intime » n'est pas ici synonyme de « subjective ». Cela signifie plutôt l'harmonie fondamentale avec la vérité objective de celui et de celle qui se donnent. La personne ne peut jamais être considérée comme un moyen d'atteindre une fin, et surtout jamais comme une source de « jouissance ». C'est la personne qui est et doit être la fin de tout acte. C'est ainsi seulement que l'action répond à la véritable dignité de la personne.

En concluant notre réflexion sur ce sujet si important et si délicat, je voudrais vous adresser un encouragement particulier, à vous d'abord, chers époux, et à tous ceux qui vous aident à comprendre et à mettre en pratique l'enseignement de l'Église sur le mariage, sur la maternité et la paternité responsables. Je pense en particulier aux pasteurs, aux nombreux savants, théologiens, philosophes, écrivains et publicistes qui ne se soumettent pas au conformisme culturel dominant et qui sont courageusement prêts à « aller à contre-courant ». Cet encouragement s'adresse en outre à un groupe toujours plus nombreux d'experts, de médecins et d'éducateurs, vrais apôtres laïcs, qui ont fait de la mise en valeur de la dignité du mariage et de la famille une tâche importante de leur vie. Au nom de l'Église, je dis à tous mes remerciements! Sans eux, que pourraient faire les prêtres, les évêques et même le Successeur de Pierre? Je m'en suis convaincu de plus en plus depuis les premières années de mon sacerdoce, à partir du moment où j'ai commencé à m'asseoir dans le *confessionnal* pour partager les préoccupations, les craintes et les espoirs de nombreux époux: j'ai rencontré des cas difficiles de rébellion et de refus, mais en même temps tant de personnes responsables et généreuses de manière impressionnante! Tandis que j'écris cette lettre, tous ces époux me sont présents, ils ont mon affection et je les porte dans ma prière.

## Les deux civilisations

13.    Chères familles, la question de la paternité et de la maternité responsables s'inscrit dans l'ensemble de la question de la « civilisation de l'amour » dont je désire vous parler maintenant. De ce qui a été dit jusqu'ici, il résulte clairement que *la famille se trouve à la base de ce que Paul VI a appelé la « civilisation de l'amour »,*[33] expression entrée depuis dans l'enseignement de l'Église et devenue désormais familière. Il est difficile aujourd'hui d'évoquer une intervention de l'Église, ou sur l'Église, qui ne comporte la mention de la civilisation de l'amour. L'expression *se rattache à la tradition de l'« Église domestique » dans le christianisme des origines,* mais elle se rapporte aussi précisément à l'époque actuelle.

[33] Cf. Homélie pour la cérémonie de clôture de l'Année Sainte (25 décembre 1975): *AAS* 68 (1976), p. 145.

Étymologiquement, le terme « civilisation » vient de « *civis* », « citoyen », et il souligne la dimension politique de l'existence de tout individu. Le sens le plus profond du mot « civilisation » n'est cependant pas seulement politique: il est plutôt proprement « humaniste ». La civilisation appartient à l'histoire de l'homme, parce qu'elle correspond à ses besoins spirituels et moraux: créé à l'image et à la ressemblance de Dieu, il a reçu le monde des mains du Créateur avec la mission de le modeler à sa propre image et ressemblance. C'est de l'accomplissement de cette tâche que naît la civilisation qui n'est rien d'autre, en définitive, que l'« humanisation du monde ».

La civilisation a donc, d'une certaine manière, le même sens que la « culture ». Par conséquent, on pourrait dire aussi « *culture de l'amour* », bien qu'il soit préférable de s'en tenir à l'expression devenue désormais familière. La civilisation de l'amour, au sens actuel du terme, s'inspire d'un passage de la Constitution conciliaire *Gaudium et spes:* « *Le Christ [...] manifeste pleinement l'homme à lui-même et lui découvre la sublimité de sa vocation* ».[34] On peut donc dire que la civilisation de l'amour prend son essor à partir de la révélation de Dieu qui « est Amour », comme le dit Jean (*1 Jn* 4, 8. 16), et qu'elle est décrite avec justesse par Paul dans l'hymne à la charité de la première Lettre aux Corinthiens (13, 1-13). Cette civilisation est intimement liée à l'amour « répandu dans nos cœurs par le Saint-Esprit qui nous fut donné » (*Rm* 5, 5) et elle se développe grâce à la *culture*

---

[34] Const. past. sur l'Église dans le monde de ce temps *Gaudium et spes,* n. 22.

*constante* dont parle, de manière si suggestive, l'allégorie évangélique de la vigne et des sarments: « Je suis la vigne véritable et mon Père est le vigneron. Tout sarment en moi qui ne porte pas de fruit, il l'enlève, et tout sarment qui porte du fruit, il l'émonde, pour qu'il porte encore plus de fruit » (*Jn* 15, 1-2).

À la lumière de ces textes du Nouveau Testament et d'autres encore, il est possible de comprendre ce qu'on entend par « civilisation de l'amour », et aussi pourquoi *la famille est organiquement intégrée dans cette civilisation.* Si la première « route de l'Église » est la famille, il faut ajouter que la civilisation de l'amour est, elle aussi, la « route de l'Église » qui avance dans le monde et appelle les familles et les autres institutions sociales, nationales et internationales, à prendre cette route, précisément pour les familles et par les familles. *La famille dépend* en effet, pour bien des raisons, *de la civilisation de l'amour* dans laquelle elle trouve les raisons d'être de son existence comme famille. En même temps, *la famille est le centre et le cœur de la civilisation de l'amour.*

Il n'y a pas de véritable amour, toutefois, sans conscience que « Dieu est amour » et que l'homme est la seule créature sur la terre appelée par Dieu à l'existence « pour elle-même ». L'homme créé à l'image et à la ressemblance de Dieu ne peut « se trouver » pleinement que par le don désintéressé de lui-même. Sans cette conception de l'homme, de la personne et de la « communion des personnes » dans la famille, la civilisation de l'amour ne peut exister; réciproquement, sans la civilisation de l'amour, *cette conception de la personne et de la communion des personnes* est impossible. La famille constitue la « cellule » fondamentale de la société.

Mais on a besoin du Christ — la « vigne » dont les « sarments » reçoivent la sève — pour que cette cellule ne soit pas menacée d'une sorte de *déracinement culturel,* qui peut provenir de l'intérieur comme de l'extérieur. En effet, s'il existe d'un côté la « civilisation de l'amour », d'un autre côté demeure *la possibilité d'une « contre-civilisation »* destructrice, comme le confirment aujourd'hui tant de tendances et de situations de fait.

Qui pourrait nier que notre époque est une époque de grave crise qui se manifeste en premier lieu sous la forme d'une profonde « *crise de la vérité* »? Crise de la vérité, cela veut dire d'abord *crise des concepts.* Les termes « amour », « liberté », « don désintéressé », et même ceux de « personne », de « droits de la personne », expriment-ils vraiment ce que par nature ils signifient? Voilà pourquoi l'encyclique sur la « splendeur de la vérité » (*Veritatis splendor*) s'est révélée si significative et si importante pour l'Église et pour le monde, surtout en Occident. C'est seulement si la vérité sur la liberté et la communion des personnes dans le mariage et dans la famille retrouve sa splendeur, qu'avancera réellement l'édification de la civilisation de l'amour et que l'on pourra parler de manière constructive — comme le fait le Concile — de « mise en valeur de la dignité du mariage et de la famille ».[35]

Pourquoi la « splendeur de la vérité » est-elle si importante? Elle l'est d'abord par différence: le développement de la civilisation contemporaine est lié à un progrès scientifique

[35] Cf. *ibid.,* n. 47.

46

et technologique réalisé de manière souvent unilatérale, présentant par conséquent des caractéristiques purement positivistes. Le positivisme, on le sait, produit comme fruits l'agnosticisme dans les domaines théoriques et l'utilitarisme dans les domaines éthiques et pratiques. À notre époque, l'histoire se répète, en un sens. *L'utilitarisme* est une civilisation de la production et de la jouissance, une civilisation des « choses » et non des « personnes », une civilisation dans laquelle les personnes sont utilisées comme on utilise des choses. Dans le cadre de la civilisation de la jouissance, la femme peut devenir pour l'homme un objet, les enfants, une gêne pour les parents, la famille, une institution encombrante pour la liberté des membres qui la composent. Pour s'en convaincre, il suffit d'examiner *certains programmes d'éducation sexuelle,* introduits dans les écoles souvent malgré l'avis contraire et même les protestations de nombreux parents; ou bien *les tendances à favoriser l'avortement* qui cherchent en vain à se dissimuler sous le soi-disant « droit de choisir » (« *pro choice* ») de la part des deux époux, et particulièrement de la part de la femme. Ce ne sont là que deux exemples parmi tous ceux que l'on pourrait évoquer.

Dans une telle situation culturelle, il est évident que la famille ne peut que se sentir menacée, car elle est attaquée dans ses fondements mêmes. Tout ce qui est *contraire à la civilisation de l'amour* est contraire à la vérité intégrale sur l'homme et devient pour lui une menace: cela ne lui permet pas de se trouver lui-même et de se sentir en sécurité comme époux, comme parent, comme enfant. Le soi-disant « sexe en sécurité », propagé par la « civilisation technique », en réalité, du point de vue de tout ce qui est essentiel pour la personne, n'est radicalement *pas en sécurité,* et il est même gravement dangereux. En effet, la personne s'y trouve en danger, de même que, à son tour, la famille est en danger. Quel est le danger? C'est de *perdre la vérité sur la famille elle-même,* à quoi s'ajoute le danger de perdre *la liberté* et, par conséquent, de perdre *l'amour* même. « Vous connaîtrez la vérité — dit Jésus — et la vérité vous libérera » (*Jn* 8, 32): la vérité, et seule la vérité, vous préparera à un amour dont on puisse dire qu'il est « beau ».

La famille contemporaine, comme celle de toujours, est *à la recherche du « bel amour ».* Un amour qui n'est pas « beau », c'est-à-dire réduit à la seule satisfaction de la concupiscence (cf. *1 Jn* 2, 16), ou à un « usage » mutuel de l'homme et de la femme, rend les personnes *esclaves de leurs faiblesses.* À notre époque, certains « programmes culturels » ne mènent-ils pas à un tel esclavage? Ce sont des programmes qui « jouent » sur les faiblesses de l'homme, le rendant ainsi toujours plus faible et sans défense.

*La civilisation de l'amour appelle à la joie:* entre autres, la joie qu'un homme soit venu au monde (cf. *Jn* 16, 21) et donc, pour les époux, la joie d'être devenus parents. La civilisation de l'amour signifie « mettre sa joie dans la vérité » (cf. *1 Co* 13, 6). Mais une civilisation inspirée par une mentalité de consommation et anti-nataliste n'est pas et ne peut jamais être une civilisation de l'amour. Si la famille est si importante pour la civilisation de l'amour, c'est parce qu'en elle s'instaurent *des liens étroits et intenses* entre les personnes et les générations. Elle reste cependant *vulnérable* et peut aisément être atteinte par tout ce qui risque d'affaiblir ou même de détruire son unité et sa stabilité. À cause de ces écueils, les familles cessent de rendre témoignage à la civilisation de l'amour et peuvent même en devenir la négation, une sorte de *contre-témoignage*. Une famille disloquée peut, à son tour, renforcer une forme particulière d'« anti-civilisation », en détruisant l'amour dans les différents domaines où il s'exprime, avec des répercussions inévitables sur l'ensemble de la vie sociale.

## L'amour est exigeant

14.     L'amour auquel l'Apôtre Paul a consacré un hymne dans la première Lettre aux Corinthiens — l'amour qui est « *patient* », qui « *rend service* » et qui « *supporte tout* » (*1 Co* 13, 4. 7) — est assurément *un amour exigeant*. C'est là justement que réside sa beauté, dans le fait d'être exigeant, car ainsi il édifie le vrai bien de l'homme et le fait rayonner sur les autres. En effet, le bien par sa nature « tend à se communiquer », comme le dit saint Thomas.[36] L'amour est vrai quand *il crée le bien des personnes et des communautés,* quand il le crée et *le donne* aux autres. Seul celui qui sait être exigeant pour lui-même, au nom de l'amour, peut aussi demander aux autres l'amour. Car l'amour est exigeant. Il l'est dans toutes les situations humaines; il l'est plus encore pour qui s'ouvre à l'Évangile. N'est-ce pas là ce que proclame le Christ par « son » commandement? Il faut que les hommes d'aujourd'hui découvrent cet amour exigeant, parce qu'en lui se trouve le fondement vraiment solide de la famille, un fondement qui la rend capable de « supporter tout ». Selon

---

[36] *Somme théologique,* I, q. 5, a. 4, ad 2.

l'Apôtre, l'amour n'est pas apte à « tout supporter » s'il cède aux « rancunes », s'il « se vante », s'il « se gonfle d'orgueil », s'il « ne fait rien d'inconvenant » (cf. *1 Co* 13, 4-5). Le véritable amour, enseigne saint Paul, est différent: « Il fait confiance en tout, il espère tout, il endure tout » (*1 Co* 13, 7). C'est cet amour-là qui « supportera tout ». La puissance de Dieu même, qui « est amour », agit en lui (*1 Jn* 4, 8.16). La puissance du Christ, Rédempteur de l'homme et Sauveur du monde, agit en lui.

Méditant le chapitre 13 de la première Lettre de Paul aux Corinthiens, nous prenons le chemin qui nous conduira à comprendre de la manière la plus immédiate et la plus pénétrante le véritable sens de la civilisation de l'amour. Aucun autre texte biblique que *l'hymne à la charité* n'exprime cette vérité de manière plus simple et plus profonde.

Les dangers affectant l'amour constituent aussi une menace pour la civilisation de l'amour, car ils favorisent ce qui peut s'y opposer efficacement. On pense ici avant tout à *l'égoïsme,* non seulement à l'égoïsme de l'individu, mais à celui du couple ou, dans un cadre encore plus large, à l'égoïsme social, par exemple à celui d'une classe ou d'une nation (le nationalisme). L'égoïsme, sous toutes ses formes, s'oppose directement et radicalement à la civilisation de l'amour. Cela veut-il dire que l'amour se définit simplement comme l'« anti-égoïsme »? Ce serait une définition trop pauvre et finalement trop négative, même s'il est vrai que, pour réaliser l'amour et la civilisation de l'amour, il faut surmonter les différentes formes d'égoïsme. Il est plus juste de parler d'« altruisme » qui est l'antithèse de l'égoïsme. Mais la conception de l'amour développée par saint Paul est encore plus riche et plus complète. L'hymne à la charité de la première Lettre aux Corinthiens demeure comme la *magna charta* de la civilisation de l'amour. Elle traite moins des manifestations isolées (de l'égoïsme ou de l'altruisme) que de l'acceptation franche de la conception de l'homme comme personne qui « se trouve » par le don désintéressé de soi. Un don, c'est évidemment « pour les autres »: c'est la dimension la plus importante de la civilisation de l'amour.

Nous arrivons au centre de la vérité évangélique sur *la liberté*. La personne se réalise par l'exercice de sa liberté dans la vérité. On ne peut comprendre la liberté comme la faculté de faire *n'importe quoi:* elle signifie *le don de soi*. De plus, elle veut dire: *discipline intérieure du don*. Dans la notion de don ne figure pas seulement l'initiative libre du sujet, mais aussi la dimension du *devoir*. Tout cela se réalise dans la « communion des personnes ». Nous sommes ainsi au cœur même de toute famille.

Nous sommes également *devant l'antithèse entre l'individualisme et le personnalisme*. L'amour et la civilisation de l'amour sont en relation avec le personnalisme. Pourquoi précisément le personnalisme? *Parce que l'individualisme menace la civilisation de l'amour?* La clé de la réponse se trouve dans l'expression conciliaire: un « don désintéressé ». L'individualisme suppose un usage de la liberté dans lequel le sujet fait ce qu'il veut, « définissant » lui-même « la vérité » de ce qui lui plaît ou lui est utile. Il n'admet pas que d'autres « veuillent » ou exigent de lui quelque chose au nom d'une vérité objective. Il ne veut pas « donner » à un autre en fonction de la vérité, il ne veut pas devenir « don désintéressé ». L'individualisme reste donc égocentrique et égoïste.

L'antithèse avec le personnalisme apparaît non seulement sur le terrain de la théorie, mais plus encore *sur celui de l'« ethos »*. L'« ethos » du personnalisme est altruiste: il porte la personne à faire le don d'elle-même aux autres et à trouver sa joie dans le don d'elle-même. C'est la joie dont parle le Christ (cf. *Jn* 15, 11; 16, 20. 22).

Il faut donc que les sociétés humaines, et en leur sein les familles, qui vivent souvent dans un contexte de lutte entre la civilisation de l'amour et ses antithèses, cherchent leur fondement stable dans une juste vision de l'homme et de ce qui détermine la pleine « réalisation » de son humanité. Le soi-disant *« amour libre »* est indéniablement *opposé à la civilisation de l'amour;* il est d'autant plus dangereux qu'il est habituellement proposé comme la traduction d'un sentiment « vrai », alors qu'en réalité il détruit l'amour. Tant de familles ont été brisées à cause de cet « amour libre »! Suivre en toute circonstance la « vraie » pulsion affective au nom d'un amour « libre » de toute contrainte, cela signifie, en réalité, rendre l'homme esclave des instincts humains que saint Thomas appelle « passions de l'âme ».[37] L'« amour libre » exploite les faiblesses humaines en leur offrant une certaine respectabilité avec l'aide de la séduction et avec l'appui de l'opinion publique. On cherche ainsi à « apaiser » la conscience en créant un « alibi moral ». Mais on ne prend pas en considération toutes les conséquences qui en découlent, spécialement lorsque doivent payer, outre le conjoint, les enfants privés de leur père ou de leur mère et condamnés à être en fait *orphelins de leurs parents vivants.*

---

[37] *Ibid.,* I-II, q. 22.

On sait qu'à la base de l'utilitarisme éthique se trouve la recherche continuelle du « maximum » de bonheur, mais d'un « *bonheur* » *utilitariste,* entendu seulement comme plaisir, comme satisfaction immédiate au profit exclusif de l'individu, en dehors ou à l'opposé des exigences objectives du vrai bien.

Le dessein de l'utilitarisme, fondé sur une liberté orientée dans un sens individualiste, c'est-à-dire *une liberté sans responsabilité,* constitue l'antithèse de l'amour, même si l'on y voit l'expression de la civilisation humaine dans son ensemble. Quand cette notion de la liberté est acceptée dans la société, faisant aisément cause commune avec les formes les plus diverses de la faiblesse humaine, elle se révèle vite comme une menace systématique et permanente pour la famille. On pourrait mentionner, à ce propos, de nombreuses conséquences néfastes, repérables statistiquement, même si beaucoup d'entre elles demeurent cachées dans les cœurs des hommes et des femmes comme des blessures douloureuses qui saignent.

*L'amour* des époux et des parents *est capable de guérir ces blessures,* si les embûches évoquées ne le privent pas de sa force de régénération, si bienfaisante et si salutaire pour les communautés humaines. Cette capacité est tributaire de la grâce divine du pardon et de la réconciliation qui permet d'avoir l'énergie spirituelle nécessaire pour recommencer sans cesse. C'est pourquoi les membres de la famille ont besoin de rencontrer le Christ dans l'Église par l'admirable sacrement de la pénitence et de la réconciliation.

On voit ainsi l'importance de *la prière* avec les familles et pour les familles, en particulier pour celles que menace la division. Il faut prier pour que les époux *aiment leur vocation,* même lorsque la route devient ardue ou qu'elle comporte des passages étroits et raides, apparemment insurmontables; il faut prier pour que, dans ces conditions aussi, ils soient fidèles à leur alliance avec Dieu.

« La famille est la route de l'Église ». Dans cette Lettre, nous désirons dire notre conviction et annoncer en même temps *cette route* qui, par la vie conjugale et familiale, mène au Royaume des cieux (cf. *Mt* 7, 14). Il est important que la « communion des personnes » dans la famille devienne une préparation à la « communion des saints ». Voilà pourquoi l'Église professe et annonce l'amour qui « supporte tout » (*1 Co* 13, 7), le considérant avec saint Paul comme la vertu « *la plus grande* » (*1 Co* 13, 13). L'Apôtre ne trace de limites pour personne. Aimer est la vocation de tous, celle des époux et des familles. Dans l'Église, en effet, tous sont également appelés à la perfection de la sainteté (cf. *Mt* 5, 48).[38]

## Le quatrième commandement: « Honore ton père et ta mère »

15. Le quatrième commandement du Décalogue concerne la famille, sa cohésion interne et, pourrions-nous dire, sa solidarité.

Dans la formulation, il n'est pas explicitement question de la famille. En fait, cependant, c'est justement de la famille

---

[38] Cf. Conc. œcum. Vat. II, Const. dogm. sur l'Église *Lumen gentium,* nn. 11, 40-41.

qu'il s'agit. Pour exprimer la communion entre les générations, *le Législateur divin n'a pas trouvé de terme plus adapté que celui-ci:* « Honore... » (*Ex* 20, 12). Nous sommes devant une autre manière d'exprimer ce qu'est la famille. Cette formule n'exalte pas « artificiellement » la famille, mais elle met en lumière sa physionomie et les droits qui en résultent. La famille est une communauté de relations interpersonnelles particulièrement intenses entre époux, entre parents et enfants, entre les différentes générations. C'est une communauté qu'il faut particulièrement protéger. Et Dieu ne trouve pas de meilleure garantie que ceci: « Honore ».

« Honore ton père et ta mère, afin que se prolongent tes jours sur la terre que te donne le Seigneur ton Dieu » (*Ex* 20, 12). Ce commandement fait suite aux trois préceptes fondamentaux portant sur le rapport de l'homme et du peuple d'Israël avec Dieu: « *Shemá, Israel ...* », « Écoute, Israël, le Seigneur notre Dieu est le seul Seigneur » (*Dt* 6, 4). « Tu n'auras pas d'autres dieux devant moi » (*Ex* 20, 3). Voilà le premier et le plus grand commandement, le commandement de l'amour pour Dieu « par-dessus toute chose »: il faut l'aimer « de tout ton cœur, de toute ton âme et de tout ton pouvoir » (*Dt* 6, 5; cf. *Mt* 22, 37). Il est significatif que le quatrième commandement se situe précisément dans ce contexte: « Honore ton père et ta mère », parce qu'ils sont pour toi, en un sens, les représentants du Seigneur, ceux qui t'ont donné la vie, qui t'ont introduit dans l'existence humaine, dans une lignée, dans une nation, dans une culture. Après Dieu, ils sont tes premiers bienfaiteurs. Si Dieu seul est bon, s'il est le Bien même, les parents participent de manière unique de cette bonté suprême. Par conséquent: honore tes parents! Il y a là *une certaine analogie avec le culte dû à Dieu.*

*Le quatrième commandement* est étroitement lié au *commandement de l'amour.* Entre « honore » et « aime », le lien est profond. L'honneur, dans son essence, se rattache à la vertu de justice, mais celle-ci, à son tour, ne peut pleinement s'exercer sans faire appel à l'amour, l'amour pour Dieu et pour le prochain. Et qui est plus proche que les membres de la famille, que les parents et les enfants?

Le type de relations interpersonnelles indiqué par le quatrième commandement est-il unilatéral? N'engage-t-il à honorer que les parents? Au sens littéral, oui. Mais indirectement nous pouvons aussi parler de l'« *honneur* » *dû aux enfants de la part de leurs parents.* « Honore » signifie: reconnais! C'est-à-dire, laisse-toi guider par la reconnaissance sincère de la personne, de la personne de ton père et de ta mère avant tout, puis de celle des autres membres de la famille. L'honneur est une attitude essentiellement désintéressée. On pourrait dire qu'il est « un don désintéressé de la personne à la personne » et, dans ce sens, l'honneur rejoint l'amour. Si le quatrième commandement exige d'honorer son père et sa mère, c'est aussi pour le bien de la famille qu'il l'exige. Et, pour la même raison, il impose des exigences aux parents eux-mêmes. Parents — semble leur rappeler le précepte divin —, agissez de telle manière que votre comportement *mérite l'honneur* (et l'amour) que vous portent vos enfants! Ne laissez pas l'exigence de vous honorer tomber dans un « vide moral »! En fin de compte, il s'agit donc d'un *honneur mutuel.* Le commandement « honore ton père et ta mère » dit indirectement aux parents: honorez vos fils et vos filles. Ils le méritent parce qu'ils existent, parce qu'ils sont ce qu'ils sont: cela vaut dès le premier moment de leur conception. Ce commandement, exprimant les liens intimes de la famille, met ainsi en évidence le fondement de sa cohésion interne.

Le commandement se poursuit: « *afin que se prolongent tes jours sur la terre* que te donne le Seigneur ton Dieu ». Ce « afin que » pourrait donner l'impression d'un calcul « utilitariste »: honorer en fonction d'une longévité à venir. Nous disons que cela ne diminue pas pour autant la portée essentielle de l'impératif « *honore* », proche par sa nature d'une *attitude désintéressée.* Honorer ne veut jamais dire: « Prévois les avantages ». Mais il est difficile de ne pas admettre que l'attitude d'honneur mutuel existant entre les membres de la communauté familiale a aussi divers avantages. *L'« honneur » est certainement utile,* comme tout véritable bien est « utile ».

La famille réalise avant tout le bien de l'« être ensemble », le bien par excellence attaché au mariage (d'où son indissolubilité) et à la communauté familiale. On pourrait encore le définir comme le bien du sujet. La personne est en effet un sujet et c'est aussi le cas de la famille, parce qu'elle est formée de personnes qui, unies par un lien étroit de communion, forment un seul *sujet communautaire.* Et la famille est même sujet plus que toute autre institution sociale: elle l'est plus que la nation, plus que l'État, plus que la société et que les organisations internationales. Ces sociétés, les nations en particulier, possèdent la qualité de sujet à proprement parler dans la mesure où elles la reçoivent des personnes et de leurs familles. Ces observations sont-elles seulement « théoriques » et formulées dans le but d'« exalter » la famille devant l'opinion publique? Non, il s'agit plutôt d'une autre manière d'exprimer ce qu'est la famille. Cela résulte aussi du quatrième commandement.

C'est une vérité qui mérite d'être remarquée et approfondie; elle souligne en effet l'importance de ce commandement également pour la conception moderne des *droits de l'homme*. Les dispositions institutionnelles recourent au langage juridique. Par contre, Dieu dit: « Honore ». Tous les « droits de l'homme » demeurent en fin de compte fragiles et inefficaces si ne figure pas au point de départ l'impératif: « Honore »; si, en d'autres termes, manque *la reconnaissance de l'homme* pour le simple fait d'être homme, « cet » homme. *À eux seuls, les droits ne suffisent pas.*

Il n'est donc pas exagéré de répéter que la vie des nations, des États, des organisations internationales « passe » par la famille et qu'elle est « fondée » sur le quatrième commandement du Décalogue. L'époque où nous vivons, malgré les multiples déclarations de type juridique qui ont été élaborées, *reste menacée dans une large mesure par l'« aliénation »*, résultant des prémices « rationalistes » selon lesquelles l'homme est « plus » homme s'il est « seulement » homme. Il n'est pas difficile de constater que cette aliénation de tout ce qui, de diverses manières, fait la riche plénitude de l'homme menace notre époque. C'est là que la famille intervient. En effet, *l'affirmation de la personne* se rattache dans une large mesure *à la famille* et, par conséquent, au quatrième commandement. Dans le dessein de Dieu, la famille est la première école de l'être homme dans ses différents aspects. *Sois homme!* Telle est l'injonction qui est transmise dans la famille: homme comme fils de la patrie, comme citoyen de l'État et, dirait-on aujourd'hui, comme citoyen du monde. Celui qui a donné à l'humanité le quatrième commandement est un Dieu « bienveillant » envers l'homme (*philanthropos,* disaient les Grecs). Le Créateur de l'univers est *le Dieu de l'amour et de la vie.* Il veut que l'homme ait la vie et qu'il l'ait surabondante, comme le déclare le Christ (cf. *Jn* 10, 10), qu'il ait la vie, avant tout grâce à la famille.

Il devient clair ici que la « civilisation de l'amour » est étroitement liée à la famille. *Pour beaucoup de gens, la civilisation de l'amour constitue encore une totale utopie.* On considère en effet que l'on ne peut prétendre à l'amour de personne et que l'on ne peut l'imposer à personne: il s'agirait là d'un choix libre que les hommes peuvent accepter ou refuser.

Dans tout cela, il y a du vrai. Mais reste le fait que Jésus Christ nous a laissé le commandement de l'amour, de même que Dieu avait ordonné sur le mont Sinaï: « Honore ton père et ta mère ». L'amour n'est donc pas une utopie: il est donné à l'homme comme une action à accomplir avec l'aide de la grâce divine. Il est confié à l'homme et à la femme, dans le sacrement du mariage, comme principe premier de leur « devoir », et il devient pour eux le fondement de leur engagement mutuel, d'abord conjugal, puis en tant que père et mère. Dans la célébration du sacrement, les époux se donnent et se reçoivent mutuellement, se déclarant prêts à accueillir et à éduquer leurs enfants. C'est là le pivot de la civilisation humaine qui ne peut être définie autrement que comme la « civilisation de l'amour ».

La famille est l'expression et la source de cet amour. *Par elle, passe la principale ligne de force de la civilisation de l'amour* qui trouve en elle ses « fondements sociaux ».

Les Pères de l'Église, au long de la tradition chrétienne, ont parlé de la famille comme d'une « Église domestique », une « petite Église ». Ils pensaient ainsi que la civilisation de l'amour était la possibilité d'organiser la vie et la convivialité humaines. « Être ensemble » en tant que famille, exister les uns pour les autres, créer un espace communautaire pour que tout homme s'affirme comme tel, pour que « cet » homme concret s'affirme. Il s'agit parfois de personnes affectées de handicaps physiques ou psychiques, dont la société soi-disant « progressiste » préfère se libérer. La famille elle-même peut devenir semblable à ce type de société. Elle le devient de fait lorsqu'elle se débarrasse de manière expéditive de ceux qui sont âgés, affligés de malformations ou frappés par la maladie. On agit de la sorte parce que manque la foi en ce *Dieu pour lequel* « *tous vivent* » (*Lc* 20, 38) et en qui tous sont appelés à la plénitude de la vie.

*Oui, la civilisation de l'amour est possible, ce n'est pas une utopie.* Mais elle n'est possible que si l'on se tourne constamment avec ardeur vers « Dieu, Père de notre Seigneur Jésus Christ, de qui provient toute paternité [et toute maternité] dans le monde » (cf. *Ep* 3, 14-15), de qui provient toute famille humaine.

## L'éducation

16. *En quoi consiste l'éducation?* Pour répondre à cette question, il faut rappeler deux vérités essentielles: la première est que l'homme est appelé à vivre dans la vérité et

l'amour; la seconde est que tout homme se réalise par le don désintéressé de lui-même. Cela vaut pour celui qui éduque comme pour celui qui est éduqué. L'éducation constitue donc un processus unique dans lequel la communion réciproque des personnes est riche de sens. *L'éducateur* est une personne qui *« engendre » au sens spirituel du terme*. Dans cette perspective, *l'éducation peut être considérée comme un véritable apostolat.* Elle est une communication de vie qui non seulement établit un rapport profond entre l'éducateur et la personne à éduquer, mais les fait participer tous deux à la vérité et à l'amour, fin ultime à laquelle tout homme est appelé de la part de Dieu Père, Fils et Esprit Saint.

La paternité et la maternité supposent la coexistence et l'interaction des sujets autonomes. C'est particulièrement évident quand une mère conçoit un nouvel être humain. Les premiers mois de présence dans le sein maternel créent un lien spécial qui revêt déjà une valeur éducative. *La mère,* dès la période prénatale, *structure non seulement l'organisme de l'enfant, mais indirectement toute son humanité.* Même s'il s'agit d'un processus qui s'oriente de la mère vers son enfant, il ne faut pas oublier l'influence spécifique que l'enfant à naître exerce sur sa mère. Le père ne prend pas une part directe à cette *influence mutuelle* qui se manifestera au grand jour après la naissance du bébé. Cependant il doit s'engager de façon responsable à apporter son attention et son soutien durant la grossesse et, si possible, également au moment de l'accouchement.

Pour la « civilisation de l'amour », il est essentiel que *l'homme ressente la maternité de la femme, son épouse, comme un don;* en effet, cela influe énormément sur tout le processus éducatif. Bien des choses dépendent de ce qu'il soit disponible pour prendre sa juste part dans cette première phase du don de l'humanité et pour se laisser impliquer comme mari et comme père dans la maternité de son épouse.

L'éducation est donc avant tout *un « libre don » d'humanité fait par les deux parents:* ils communiquent ensemble leur humanité adulte au nouveau-né qui, à son tour, leur donne la nouveauté et la fraîcheur de l'humanité qu'il apporte dans le monde. Cela se réalise aussi dans le cas de bébés affectés par des handicaps psychiques et physiques, et, même alors, leur situation peut donner à l'éducation une intensité toute particulière.

Au cours de la célébration du mariage, l'Église demande donc à juste titre: « Êtes-vous disposés à accueillir avec amour les enfants que Dieu voudra vous donner et à les éduquer selon la loi du Christ et de son Église? ».[39] Dans l'éducation, l'amour conjugal s'exprime comme un véritable amour de parents. La « communion des personnes », qui, au point de départ de la famille, s'exprime sous la forme de l'amour conjugal, est parachevée et enrichie en s'étendant aux enfants par l'éducation. La richesse potentielle que constitue tout homme qui naît et grandit dans la famille doit être assumée pour qu'elle ne dégénère pas ou ne se perde pas, mais au contraire pour qu'elle s'épanouisse dans une humanité toujours plus mûre. C'est là encore une *réciprocité dynamique* au cours de laquelle les parents éducateurs sont à leur tour éduqués dans une certaine mesure. Maîtres en humanité de

---

[39] *Rituale Romanum, Ordo celebrandi matrimonium,* n. 60, éd. cit., p. 17.

leurs propres enfants, à cause d'eux ils en font eux-mêmes l'apprentissage. C'est là que ressort à l'évidence *la structure organique de la famille* et qu'apparaît le sens fondamental du quatrième commandement.

*Le « nous » des parents,* du mari et de la femme, se prolonge, à travers l'éducation, dans *le « nous » de la famille,* qui se greffe sur les générations précédentes et qui s'ouvre à un élargissement graduel. A cet égard, les parents des parents jouent un rôle particulier pour leur part, et aussi, de leur côté, les enfants des enfants.

Si, en donnant la vie, *les parents* prennent part à l'œuvre créatrice de Dieu, par l'éducation ils *prennent part à sa pédagogie à la fois paternelle et maternelle.* La paternité divine, suivant saint Paul, constitue l'origine et le modèle de toute paternité et de toute maternité dans le cosmos (cf. *Ep* 3, 14-15), en particulier de la maternité et de la paternité humaines. Sur la pédagogie divine, nous avons été pleinement enseignés par le Verbe éternel du Père qui, en s'incarnant, a révélé à l'homme la dimension véritable et intégrale de son humanité, la filiation divine. Il nous ainsi révélé également ce qu'est le véritable sens de l'éducation de l'homme. *Par le Christ,* toute éducation, dans la famille et ailleurs, *entre dans la dimension salvifique de la pédagogie divine,* destinée aux hommes et aux familles, et culminant dans le mystère pascal de la mort et de la résurrection du Seigneur. Toute démarche d'éducation chrétienne, qui est toujours en même temps une éducation à la plénitude de l'humanité, part de ce « cœur » de notre rédemption.

*Les parents sont les premiers et les principaux éducateurs* de leurs enfants et ils ont aussi *une compétence fondamentale* dans ce domaine: ils sont *éducateurs parce que parents*. Ils partagent leur mission éducative avec d'autres personnes et d'autres institutions, comme l'Église et l'État; toutefois cela doit toujours se faire suivant une juste application du *principe de subsidiarité*. En vertu de ce principe, il est légitime, et c'est même un devoir, d'apporter une aide aux parents, en respectant toutefois la limite intrinsèque et infranchissable tracée par la prévalence de leur droit et par leurs possibilités concrètes. Le principe de subsidiarité vient donc en aide à l'amour des parents en concourant au bien du noyau familial. En effet, les parents ne sont pas en mesure de répondre seuls à toutes les exigences du processus éducatif dans son ensemble, particulièrement en ce qui concerne l'instruction et le vaste secteur de la socialisation. La subsidiarité complète ainsi l'amour paternel et maternel et elle en confirme le caractère fondamental, du fait que toutes les autres personnes qui prennent part au processus éducatif ne peuvent agir qu'*au nom des parents, avec leur consentement* et même, dans une certaine mesure, *parce qu'ils en ont été chargés par eux.*

Le parcours éducatif mène jusqu'à la phase de *l'auto-éducation* à laquelle on parvient lorsque, grâce à un niveau convenable de maturité psychique et physique, l'homme *commence à « s'éduquer lui-même »*. Au fil du temps, l'auto-éducation dépasse les objectifs précédemment atteints dans le processus éducatif, dans lequel, toutefois, elle continue à s'enraciner. L'adolescent rencontre de nouvelles personnes et de nouveaux milieux, en particulier les enseignants et les camarades de classe, qui exercent sur sa vie une influence qui peut se montrer éducative ou anti-éducative. À cette étape, il se détache dans une certaine mesure de l'éducation reçue dans sa famille et prend parfois une attitude critique à l'égard de ses parents. Mais malgré tout, le processus d'auto-éducation ne peut pas ne pas subir l'influence éducative exercée par la famille et par l'école sur l'enfant et sur le garçon ou la fille. Même en se transformant et en prenant sa propre orientation, le jeune continue à rester intimement relié à ses *racines existentielles*.

Dans ce contexte, la portée du quatrième commandement, « *honore ton père et ta mère* » (*Ex* 20, 12), apparaît de manière nouvelle et elle reste organiquement liée à l'ensemble du processus de l'éducation. La paternité et la maternité, ces éléments premiers et fondamentaux du *don de l'humanité,* ouvrent devant les parents et les enfants des perspectives nouvelles et plus profondes. Engendrer selon la chair signifie qu'on commence une autre « génération », graduelle et complexe, par tout le processus éducatif. Le commandement du Décalogue enjoint à l'enfant d'honorer son père et sa mère. Mais, comme il a été dit plus haut, le même commandement impose aux parents un devoir en quelque sorte « symétrique ». Ils doivent, eux aussi, « honorer » leurs enfants, petits ou grands, et cette attitude est indispensable au long de tout le parcours éducatif, y compris de la période scolaire. Le « *principe d'honorer* », c'est-à-dire la reconnaissance et le respect de l'homme comme homme, est la condition fondamentale de tout processus éducatif authentique.

Dans le champ de l'éducation, *l'Église* a un rôle spécifique à remplir. À la lumière de la tradition et du magistère conciliaire, on peut bien dire qu'il n'est pas seulement question de *confier à l'Église* l'éducation religieuse et morale de la personne, mais de promouvoir tout le processus éducatif de la personne « *avec* » l'Église. La famille est appelée à remplir sa tâche éducative *dans l'Église,* prenant ainsi part à la vie et à la mission ecclésiales. L'Église désire éduquer surtout *par la famille,* habilitée à cela par le sacrement du mariage, avec la « grâce d'état » qui en découle et le charisme spécifique qui est le propre de toute la communauté familiale.

L'un des domaines dans lesquels la famille est irremplaçable est assurément celui de *l'éducation religieuse,* qui lui permet de se développer comme « Église domestique ». L'éducation religieuse et la catéchèse des enfants situent la famille dans l'Église comme un véritable *sujet actif d'évangélisation et d'apostolat.* Il s'agit d'un droit intimement lié au *principe de la liberté religieuse.* Les familles, et plus concrètement les parents, ont la liberté de choisir pour leurs enfants un modèle d'éducation religieuse et morale déterminé, correspondant à leurs convictions. Mais, même quand ils confient ces tâches à des institutions ecclésiales ou à des écoles dirigées par un personnel religieux, il est nécessaire que leur présence éducative demeure *constante et active.*

Dans l'éducation, il ne faut pas négliger non plus la question essentielle du *discernement de la vocation* et, dans ce cadre, particulièrement de *la préparation à la vie conjugale.* L'Église a déployé des efforts et des initiatives considérables pour la préparation au mariage, par exemple sous la forme de sessions organisées pour les fiancés. Tout cela est valable et nécessaire. Mais il ne faut pas oublier que la préparation à la future vie de couple est *surtout une tâche de la famille.* Certes, seules les familles spirituellement mûres peuvent exercer cette responsabilité de manière appropriée. Il convient donc de souligner la nécessité *d'une solidarité étroite entre les familles* qui peut s'exprimer en divers types d'organisations, comme les associations familiales pour les familles. L'institution familiale se trouve renforcée par cette solidarité qui rapproche non seulement les personnes, mais aussi les communautés, en les engageant à prier ensemble et à rechercher, avec le concours de tous, les réponses aux questions essentielles qui surgissent dans la vie. N'est-ce pas là une forme précieuse *d'apostolat des familles* par les familles? Il est donc important que les familles cherchent à nouer entre elles des liens de solidarité. En outre, cela leur permet un échange de services éducatifs: les parents sont formés par d'autres parents, les enfants par des enfants. Une tradition éducative particulière est ainsi créée, à laquelle le caractère d'« Église domestique » propre à la famille donne toute sa vigueur.

*L'évangile de l'amour* est la source inépuisable de tout ce dont se nourrit la famille humaine en tant que « communion de personnes ». Tout le processus éducatif trouve dans l'amour son soutien et son sens dernier, car il est en plénitude le fruit du don mutuel des époux. En raison des efforts, des souffrances et des déceptions qui accompagnent l'éducation de la personne, l'amour ne cesse pas d'être mis à l'épreuve. Pour surmonter cela, il faut une source de force spirituelle qui ne se trouve qu'en Celui qui « aima jusqu'à la fin » (*Jn* 13, 1). *L'éducation se situe ainsi pleinement dans la perspective de la « civilisation de l'amour »*; elle dépend d'elle et, dans une large mesure, contribue à son édification.

La prière confiante et constante de l'Église au cours de l'Année de la Famille intercède *pour l'éducation de l'homme,* afin que les familles persévèrent dans leur tâche éducative avec courage, confiance et espérance, malgré les difficultés parfois si sérieuses qu'elles paraissent insurmontables. L'Église prie pour que prédominent les énergies de la « civilisation de l'amour » qui jaillissent de la source de l'amour de Dieu; des énergies que l'Église dépense sans cesse pour le bien de toute la famille humaine.

### La famille et la société

17. La famille est une communauté de personnes, la plus petite cellule sociale, et, comme telle, elle est une institution fondamentale pour la vie de toute société.

Qu'attend de la société la famille comme institution? Avant tout d'être *reconnue dans son identité* et admise en qualité de *sujet social*. Cette nature de sujet est liée à l'identité propre au mariage et à la famille. Le mariage, qui est à la base de l'institution familiale, consiste en une alliance par laquelle « un homme et une femme constituent entre eux une communauté de toute la vie, ordonnée par son caractère naturel au bien des conjoints ainsi qu'à la génération et à l'éducation des enfants ».[40] Seule une telle union peut être reconnue et confirmée comme « mariage » au sein de la société. A l'inverse, les autres unions de personnes, qui ne répondent pas aux conditions rappelées ci-dessus, ne peuvent pas l'être, même si aujourd'hui se répandent, précisément sur ce point, des tendances très dangereuses pour l'avenir de la famille et de la société elle-même.

[40] *Code de Droit canonique*, can. 1055, § 1; *Catéchisme de l'Église catholique*, n. 1601.

Aucune société humaine ne peut courir le risque de la permissivité dans des questions de fond concernant l'essence du mariage et de la famille! Une telle permissivité morale ne peut que porter préjudice aux exigences authentiques de la paix et de la communion entre les hommes. On comprend ainsi pourquoi l'Église défend fortement l'identité de la famille et pourquoi elle incite les institutions compétentes, spécialement les responsables de la vie politique, de même que les organisations internationales, à ne pas céder à la tentation d'une apparente et fausse modernité.

Comme communauté de vie et d'amour, la famille est une réalité sociale solidement enracinée et, d'une manière toute particulière, une *société souveraine,* même si elle est conditionnée à divers points de vue. L'affirmation de la souveraineté de l'institution-famille et la constatation de ses multiples conditionnements conduisent à parler des *droits de la famille*. À ce sujet, le Saint-Siège a publié en 1983 la Charte des Droits de la Famille, qui garde encore toute son actualité.

Les droits de la famille sont étroitement *liés aux droits de l'homme*. En effet, si la famille est communion de personnes, son épanouissement dépend, de manière significative, de la juste application des droits des personnes qui la composent. Quelques-uns de ces droits concernent immédiatement la famille, comme le droit des parents à la procréation responsable et à l'éducation des enfants; d'autres droits, au contraire, concernent le noyau familial seulement de manière indirecte: parmi ceux-là, revêtent une importance particulière le droit à la propriété, spécialement à ce qu'on appelle la propriété familiale, et le droit au travail.

Cependant, les droits de la famille *ne sont pas simplement la somme mathématique* de ceux de la personne, la famille étant *quelque chose de plus* que la somme de ses membres pris séparément. Elle est communauté de parents et d'enfants, parfois une communauté composée de plusieurs générations. De ce fait, sa qualité de sujet, qui se réalise selon le dessein de Dieu, fonde et exige des droits particuliers et spécifiques. En partant des principes moraux énoncés, *la Charte des Droits de la Famille* consolide l'existence de l'institution familiale dans l'ordre social et juridique de la « grande » société: de la nation, de l'État et des communautés internationales. Chacune de ces « grandes » sociétés est au moins indirectement conditionnée par l'existence de la famille; pour cela, la définition des devoirs et des droits de la « grande » société à l'égard de la famille est une question extrêmement importante et essentielle.

En premier lieu, on trouve le lien quasi organique qui s'instaure entre *la famille et la nation.* Naturellement, on ne peut pas parler de nation au sens propre dans tous les cas. Mais il existe des groupes ethniques qui, tout en ne pouvant être considérés comme de vraies nations, accèdent cependant dans une certaine mesure au rang de « grande » société. Dans l'une et dans l'autre hypothèse, le lien de la famille avec le groupe ethnique ou avec la nation s'appuie avant tout sur *la participation à la culture.* Dans un sens, c'est aussi pour la nation que les parents donnent naissance à des enfants, afin qu'ils en soient membres et qu'ils participent à son patrimoine historique et culturel. Dès le début, l'identité d'une famille se développe dans une certaine mesure à l'image de celle de la nation à laquelle elle appartient.

En participant au patrimoine culturel de la nation, la famille contribue à la *souveraineté spécifique* qui naît de sa culture et de sa langue. J'ai abordé cette question à l'Assemblée de l'UNESCO à Paris, en 1980, et j'y suis revenu maintes fois, à cause de son importance indéniable. Grâce à la culture et à la langue, non seulement la nation, mais chaque famille trouve sa *souveraineté spirituelle*. Autrement, il serait difficile d'expliquer de nombreux événements de l'histoire des peuples, spécialement européens: événements anciens et récents, heureux et douloureux, victoires et défaites, qui montrent combien la famille est organiquement unie à la nation, et la nation à la famille.

Le lien de la famille avec *l'État* est en partie semblable et en partie différent. En effet, l'État se distingue de la nation par sa structure moins « familiale », car organisé en fonction d'un système politique et de manière plus « bureaucratique ». Néanmoins, même le système de l'État possède en un sens une « âme », dans la mesure où il répond à sa nature de « communauté politique » juridiquement ordonnée au bien commun.[41] La famille est en relation étroite avec cette « âme », elle est liée à l'État précisément en vertu du *principe de subsidiarité*. En effet, la famille est une réalité sociale qui ne dispose pas de tous les moyens nécessaires pour réaliser ses fins propres, notamment dans les domaines de l'instruction et de l'éducation. L'État est alors appelé à intervenir selon le principe mentionné: là où la famille peut se suffire à elle-même, il convient de la laisser agir de manière auto-

---

[41] Cf. Const. past. sur l'Église dans le monde de ce temps *Gaudium et spes*, n. 74.

nome; une intervention excessive de l'État s'avérerait non seulement irrespectueuse mais dommageable, car elle constituerait une violation évidente des droits de la famille; c'est seulement là où elle ne se suffit pas réellement à elle-même que l'État a la faculté et le devoir d'intervenir.

Hormis le domaine de l'éducation et de l'instruction à tous les niveaux, l'aide de l'État, qui en tout cas ne doit pas exclure les initiatives des personnes privées, s'exprime par exemple dans les institutions qui visent à sauvegarder la vie et la santé des citoyens, et, en particulier, dans les mesures de prévoyance qui concernent le monde du travail. Le *chômage* constitue de nos jours une des menaces les plus sérieuses pour la vie familiale et préoccupe à juste titre toutes les sociétés. Il représente un défi pour la politique des États et c'est un objet de réflexion attentive pour la doctrine sociale de l'Église. Plus que jamais, par conséquent, il est indispensable et urgent d'y porter remède par des solutions courageuses, en sachant tourner notre regard, même au-delà des frontières nationales, vers les nombreuses familles pour lesquelles l'absence de travail se traduit par une situation de misère dramatique.[42]

Parlant du travail en référence à la famille, il convient de souligner l'importance et le poids du *travail des femmes dans leur foyer:* [43] *il doit être reconnu et valorisé au maximum.* La « charge » de la femme qui, après avoir donné le jour à un

---

[42] Cf. Encycl. *Centesimus annus* (1er mai 1991), n. 57: *AAS* 83 (1991), pp. 862-863.
[43] Cf. Encycl. *Laborem exercens* (14 septembre 1981), n. 19: *AAS* 73 (1981), pp. 625-629.

enfant, le nourrit, le soigne et subvient à son éducation, spécialement au cours des premières années, est si grande
qu'elle n'a à craindre la comparaison avec aucun travail pro-
fessionnel. Cela doit être clairement affirmé, de même que
doit être défendu tout autre droit lié au travail. La maternité,
avec tout ce qu'elle comporte de fatigues, doit obtenir une
reconnaissance même économique au moins égale à celle des
autres travaux accomplis pour faire vivre la famille dans une
période aussi délicate de son existence.

Il convient vraiment de n'épargner aucun effort pour que
la famille soit reconnue comme *société primordiale* et, en un
sens, « souveraine ». Sa « souveraineté » est indispensable
pour le bien de la société. Une nation vraiment souveraine
et spirituellement forte est toujours composée de familles
fortes, conscientes de leur vocation et de leur mission dans
l'histoire. La famille se situe au centre de tous ces problèmes
et de toutes ces tâches: la reléguer à un rôle subalterne et
secondaire, en l'écartant de la place qui lui revient dans la
société, signifie causer un grave dommage à la croissance
authentique du corps social tout entier.

# II

# L'ÉPOUX EST AVEC VOUS

## À Cana de Galilée

18. Un jour, devant les disciples de Jean, Jésus parla d'une invitation à des noces et de la présence de l'époux parmi les invités: « L'époux est avec eux » (*Mt* 9, 15). Il signifiait par là l'accomplissement en sa personne de l'image, déjà présente dans l'Ancien Testament, de Dieu-Époux, pour révéler pleinement le mystère de Dieu comme mystère d'Amour.

En se qualifiant comme « époux », Jésus dévoile donc l'essence de Dieu et confirme son amour immense pour l'homme. Mais le choix de cette image met aussi indirectement en lumière la nature véritable de l'amour sponsal. En effet, en y recourant pour parler de Dieu, Jésus montre à quel point la paternité et l'amour de Dieu se reflètent dans l'amour d'un homme et d'une femme qui s'unissent dans le mariage. C'est pour cela que, au début de sa mission, Jésus se trouve *à Cana de Galilée,* afin de participer à un banquet de noces, avec Marie et avec ses premiers disciples (cf. *Jn* 2, 1-11). Il entend ainsi montrer *que la vérité sur la famille est inscrite dans la Révélation de Dieu et dans l'histoire du salut.* Dans l'Ancien Testament, et spécialement chez les Prophètes, on trouve de très belles paroles sur *l'amour de Dieu:* un amour attentionné comme celui d'une mère pour son enfant, tendre comme celui de l'époux pour son épouse, mais aussi profondément jaloux; ce n'est pas avant tout un amour qui punit, mais qui pardonne; un amour qui se penche sur l'homme comme le père le fait sur son fils prodigue, qui le relève et le rend participant à la vie divine. Un amour qui émerveille: c'est une nouveauté inconnue jusqu'alors dans l'ensemble du monde païen.

À Cana de Galilée, Jésus est comme *le héraut de la vérité divine sur le mariage,* de la vérité sur laquelle peut s'appuyer la famille humaine, y trouvant la force nécessaire face à toutes les épreuves de la vie. Jésus annonce cette vérité par sa présence aux noces de Cana et par l'accomplissement de son premier « signe »: l'eau changée en vin.

Il annonce encore la vérité sur le mariage en parlant avec les pharisiens et en expliquant que l'amour qui est de Dieu, amour tendre et sponsal, est *source d'exigences profondes et radicales.* Moïse avait été moins exigeant; il avait permis de remettre un acte de répudiation. Dans une vive controverse, lorsque les pharisiens font référence à Moïse, Jésus répond catégoriquement: « À l'origine, il n'en fut pas ainsi » (*Mt* 19, 8). Et il rappelle que Celui qui a créé l'homme l'a créé homme et femme, et qu'il a ordonné: « L'homme quitte son père et sa mère et s'attache à sa femme, et ils deviennent une seule chair » (*Gn* 2, 24). Avec une cohérence logique, le Christ conclut: « Ainsi ils ne sont plus deux, mais une seule chair. Eh bien! ce que Dieu a uni, l'homme ne doit point le séparer » (*Mt* 19, 6). Devant l'objection des pharisiens qui se réclament de la loi mosaïque, il répond: « C'est en raison de votre dureté de cœur que Moïse vous a permis de répudier vos femmes; mais dès l'origine il n'en fut pas ainsi » (*Mt* 19, 8).

Jésus fait référence « au commencement », retrouvant aux origines même de la création le dessein de Dieu, sur lequel s'enracine la famille et, par son intermédiaire, l'histoire entière de l'humanité. La réalité naturelle du mariage devient, par la volonté du Christ, un véritable sacrement de la Nouvelle Alliance, marqué du sceau du sang du Christ rédempteur. *Époux et familles, rappelez-vous à quel prix vous avez été « achetés »* (cf. *1 Co* 6, 20)!

Cette merveilleuse vérité est cependant *humainement difficile* à accueillir et à vivre. Comment s'étonner que Moïse ait cédé face aux requêtes de ses compatriotes, quand les Apôtres eux-mêmes, en écoutant les paroles du Maître, répliquent: « Si telle est la condition de l'homme envers la femme, il n'est pas expédient de se marier » (*Mt* 19, 10)! Cependant, pour le bien de l'homme et de la femme, de la famille et de la société tout entière, Jésus confirme l'exigence posée par Dieu dès l'origine. Mais, en même temps, il profite de l'occasion pour affirmer la valeur du choix de ne pas se marier, en vue du Règne de Dieu: ce choix permet aussi d'« engendrer », même si c'est de manière différente. Ce choix est le point de départ de la vie consacrée, des Ordres et des Congrégations religieuses en Orient et en Occident, comme aussi de la discipline du célibat sacerdotal, selon la tradition de l'Église latine. Il n'est donc pas vrai qu'« il n'est pas expédient de se marier », mais l'amour pour le Royaume des cieux peut aussi pousser à ne pas se marier (cf. *Mt* 19, 12).

Se marier reste toutefois *la vocation ordinaire de l'homme,* qui est choisie par la plus grande partie du peuple de Dieu. C'est dans la famille que se forment les pierres vivantes de l'édifice spirituel dont parle l'Apôtre Pierre (cf. *1 P* 2, 5). Les corps des époux sont la demeure de l'Esprit Saint (cf. *1 Co* 6, 19). Puisque la transmission de la vie divine suppose celle de la vie humaine, du mariage naissent non seulement les fils des hommes, mais aussi, en vertu du baptême, les fils adoptifs de Dieu, qui vivent de la vie nouvelle reçue du Christ par son Esprit.

De cette manière, chers frères et sœurs, époux et parents, *l'Époux est avec vous*. Vous savez qu'il est le bon Pasteur et vous connaissez sa voix. Vous savez où il vous conduit, vous savez qu'il lutte pour vous amener dans les pâturages où trouver la vie et la trouver en abondance, qu'il affronte les loups voraces, toujours prêt à arracher ses brebis de leurs gueules: tout mari et toute femme, tout fils et toute fille, tout membre de vos familles. Vous savez que, bon Pasteur, il est prêt à offrir sa vie pour son troupeau (cf. *Jn* 10, 11). Il vous conduit par des chemins qui ne sont pas les chemins escarpés et pleins de pièges de nombreuses idéologies contemporaines; il répète la vérité intégrale au monde d'aujourd'hui, comme lorsqu'il s'adressait aux pharisiens ou lorsqu'il l'annonçait aux Apôtres, qui l'ont ensuite annoncée dans le monde, la proclamant aux hommes de leur temps, Juifs et Grecs. Les disciples étaient bien conscients que le Christ avait tout renouvelé; que l'homme était devenu « créature nouvelle »: ni Juif ni Grec, ni esclave ni homme libre, ni homme ni femme, mais « un » en lui (cf. *Ga* 3, 28), revêtu de la dignité de fils adoptif de Dieu. Le jour de la Pentecôte, cet homme a reçu l'Esprit consolateur, l'Esprit de vérité; ainsi a commencé le nouveau peuple de Dieu, l'Église, anticipation d'un ciel nouveau et d'une nouvelle terre (cf. *Ap* 21, 1).

Les Apôtres, d'abord craintifs au sujet du mariage et de la famille, sont ensuite devenus courageux. Ils ont compris que le mariage et la famille constituent une vraie vocation venant de Dieu lui-même, un apostolat: l'apostolat des laïcs. Ils servent à la transformation de la terre et au renouvellement du monde, de la création et de toute l'humanité.

Chères familles, vous aussi vous devez être courageuses, toujours prêtes à rendre témoignage de cette espérance qui est en vous (cf. *1 P* 3, 15), parce qu'elle est enracinée dans votre cœur par le bon Pasteur, au moyen de l'Évangile. Vous devez être prêtes à suivre le Christ vers les pâturages qui donnent la vie et que lui-même a préparés par le mystère pascal de sa mort et de sa résurrection.

*N'ayez pas peur* des risques! Les forces divines sont beaucoup plus puissantes que vos difficultés! L'efficacité du *sacrement de la Réconciliation,* appelé à juste titre par les Pères de l'Église « second Baptême », est immensément plus grande que le mal agissant dans le monde. L'énergie divine du sacrement de la *Confirmation,* qui fait s'épanouir la grâce du Baptême, a beaucoup plus d'impact que la corruption présente dans le monde. Incomparablement plus grande est surtout la puissance de l'Eucharistie.

L'*Eucharistie* est un sacrement vraiment admirable. Dans ce sacrement, c'est lui-même que le Christ nous a laissé comme nourriture et comme boisson, comme source de puissance salvifique. C'est lui-même qu'il nous a laissé afin que nous ayons la vie, que nous l'ayons en surabondance (cf. *Jn* 10, 10): la vie qui est en lui et qu'il nous a communiquée par le don de son Esprit, en ressuscitant le troisième jour après sa mort. Elle est pour nous, en effet, la vie qui vient de lui. *Elle est pour vous, chers époux, parents et familles!* N'a-t-il pas institué l'Eucharistie dans un contexte familial, au cours de la dernière Cène? Quand vous vous rencontrez pour les repas et que vous êtes unis entre vous, *le Christ est proche de vous.* Et, plus encore, il est l'Emmanuel, Dieu avec nous, lorsque vous vous approchez de la Table eucharistique. Il peut se faire que, comme à Emmaüs, on ne le reconnaisse que dans la « fraction du pain » (cf. *Lc* 24, 35). Il arrive aussi qu'il se tienne à la porte et qu'il frappe, attendant que la porte lui soit ouverte pour pouvoir entrer et prendre son repas avec nous (cf. *Ap* 3, 20). Sa dernière Cène et les paroles prononcées alors gardent toute la puissance et toute la sagesse du sacrifice de la Croix. Il n'existe pas d'autre puissance ni d'autre sagesse par lesquelles nous puissions être sauvés et par lesquelles nous puissions contribuer à sauver les autres. Il n'y a pas d'autre puissance ni d'autre sagesse par lesquelles, vous parents, vous puissiez éduquer vos enfants et aussi vous-mêmes. *La puissance éducative de l'Eucharistie* s'est confirmée à travers les générations et les siècles.

Le bon Pasteur est partout avec nous. De même qu'il était à Cana de Galilée, *Époux parmi ces époux* qui se donnaient l'un à l'autre pour toute leur vie, de même le bon Pasteur est aujourd'hui avec vous comme raison d'espérer, force des cœurs, source d'un enthousiasme toujours nouveau et signe de la victoire de la « civilisation de l'amour ». Jésus, le bon Pasteur, nous répète: *N'ayez pas peur. Je suis avec vous.* « Je suis avec vous pour toujours jusqu'à la fin du monde » (*Mt* 28, 20). D'où vient une telle force? D'où vient la certitude que tu es avec nous, même s'ils t'ont tué, ô Fils de

Dieu, et que tu es mort comme tout autre être humain? D'où vient cette certitude? L'évangéliste dit: « Il les aima jusqu'à la fin » (*Jn* 13, 1). Toi donc, Tu nous aimes, Toi qui es le Premier et le Dernier, le Vivant; Toi qui étais mort et qui maintenant vis pour toujours (cf. *Ap* 1, 17-18).

### Le grand mystère

19.    Saint Paul résume la question de la vie familiale dans l'expression « *grand mystère* » (cf. *Ep* 5, 32). Quand il écrit dans la Lettre aux Éphésiens sur ce « grand mystère », même si cela est enraciné dans le Livre de la Genèse et dans toute la tradition de l'Ancien Testament, il présente une organisation nouvelle, qui trouvera ensuite un développement dans le magistère de l'Église.

L'Église professe que le mariage, comme sacrement de l'alliance entre époux, est un « grand mystère », puisqu'en lui s'exprime *l'amour sponsal du Christ pour son Église*. Saint Paul écrit: « Maris, aimez vos femmes comme le Christ a aimé l'Église; il s'est livré pour elle, afin de la sanctifier en la purifiant par le bain d'eau qu'une parole accompagne » (*Ep* 5, 25-26). L'Apôtre parle ici du Baptême, dont la Lettre aux Romains traite largement, en le présentant comme la participation à la mort du Christ pour partager sa vie (cf. *Rm* 6, 3-4). Par ce sacrement, le croyant *naît* comme un homme nouveau, car le Baptême a le pouvoir de communiquer une vie nouvelle, la vie même de Dieu. Le mystère théandrique du Dieu-homme se résume, d'une certaine manière, dans l'événement baptismal. « Le Christ Jésus notre Seigneur, Fils du Dieu Très-Haut — dira plus tard saint Irénée, et avec lui tant d'autres Pères de l'Église d'Orient et d'Occident — devient Fils de l'homme pour qu'à son tour l'homme devienne fils de Dieu ».[44]

L'Époux est donc Dieu même qui s'est fait homme. Dans l'Ancienne Alliance, le Seigneur se présente comme l'Époux d'Israël, le peuple élu: un Époux tendre et exigeant, jaloux et fidèle. Toutes les trahisons, les désertions et les idolâtries d'Israël, décrites par les Prophètes de manière dramatique et suggestive, ne parviennent pas à éteindre l'amour avec lequel le *Dieu-Époux* « aime jusqu'à la fin » (cf. *Jn* 13, 1).

La confirmation et l'accomplissement de la communion sponsale entre Dieu et son peuple se réalisent dans le Christ, dans la Nouvelle Alliance. Le Christ nous assure que l'Époux est avec nous (cf. *Mt* 9, 15). Il est avec nous tous, il est avec l'Église. *L'Église devient épouse:* épouse du Christ. Cette épouse, dont parle la Lettre aux Éphésiens, est présente en tout baptisé et elle est comme une personne qui s'offre au regard de son Époux. Il « a aimé l'Église; il s'est livré pour elle...; car il voulait se la présenter à lui-même toute resplendissante, sans tache, ni ride ni rien de tel, mais sainte et immaculée » (*Ep* 5, 25.27). L'amour dont l'Époux « aima jusqu'à la fin » l'Église est tel qu'elle est toujours nouvellement sainte dans ses saints, même si elle ne cesse pas d'être une Église de pécheurs. Les pécheurs, « les publicains et les prostituées », sont appelés, eux aussi, à la sainteté, comme le

---

[44] S. Irénée, *Adversus hæreses* III, 10, 2: *PG* 7,873; *SCh* 211, pp. 116-119; S. Athanase, *De Incarnatione Verbi,* n. 54: *PG* 25,191-192; S. Augustin, *Sermon* 185,3: *PL* 38,999; *Sermon* 194, 3,3: *PL* 38,1016.

Christ lui-même l'atteste dans l'Évangile (cf. *Mt* 21, 31).
Tous sont appelés à devenir l'Église glorieuse, sainte et immaculée. « Soyez saints, dit le Seigneur, parce que je suis saint » (*Lv* 11, 44; cf. *1 P* 1, 16).

Voilà la plus haute dimension du « grand mystère », la signification profonde du *don sacramentel* dans l'Église, le sens le plus profond du Baptême et de l'Eucharistie. Ce sont les fruits de l'amour dont l'Époux a aimé jusqu'à la fin; amour qui s'étend constamment, en procurant aux hommes une participation croissante à la vie divine.

Après avoir dit: « Maris, aimez vos femmes » (*Ep* 5, 25), saint Paul ajoute aussitôt avec une force encore plus grande: « De la même façon les maris doivent aimer leurs femmes comme leurs propres corps. Aimer sa femme, c'est s'aimer soi-même. Car nul n'a jamais haï sa propre chair; on la nourrit au contraire et on en prend bien soin. C'est justement ce que le Christ fait pour l'Église: ne sommes-nous pas les membres de son Corps? » (*Ep* 5, 28-30). Et il exhorte les époux par ces paroles: « Soyez soumis les uns aux autres dans la crainte du Christ » (*Ep* 5, 21).

C'est là certainement une expression nouvelle de la vérité éternelle sur le mariage et sur la famille à la lumière de la Nouvelle Alliance. Le Christ l'a révélée dans l'Évangile, par sa présence à Cana de Galilée, par son sacrifice sur la Croix et par les sacrements de son Église. Les époux trouvent ainsi dans le Christ *une référence pour leur amour sponsal*. Parlant du Christ Époux de l'Église, saint Paul se réfère de manière analogique à l'amour sponsal; il renvoie au Livre de la Genèse: « L'homme quitte son père et sa mère et s'attache à sa femme, et ils deviennent une seule chair » (*Gn* 2, 24). Voici le « grand mystère » de l'éternel amour déjà présent dans la création, révélé dans le Christ et confié à l'Église. « Ce mystère est de grande portée — répète l'Apôtre —; je veux dire qu'il s'applique au Christ et à l'Église » (*Ep* 5, 32). On ne peut donc comprendre l'Église comme Corps mystique du Christ, comme signe de l'Alliance de l'homme avec Dieu dans le Christ, comme sacrement universel du salut, sans se référer au « grand mystère », en rapport avec la création de l'homme, homme et femme, et avec la vocation des deux à l'amour conjugal, à la paternité et à la maternité. Le « grand mystère », qui est l'Église et l'humanité dans le Christ, n'existe pas sans le « grand mystère » qui s'exprime dans le fait d'être « une seule chair » (cf. *Gn* 2, 24; *Ep* 5, 31-32), c'est-à-dire dans la réalité du mariage et de la famille.

La famille elle-même est le grand mystère de Dieu. Comme « Église domestique », elle est *l'épouse du Christ.* L'Église universelle, et en elle chaque Église particulière, se révèle plus immédiatement comme épouse du Christ, dans l'« Église domestique » et dans l'amour vécu en elle: amour conjugal, amour paternel et maternel, amour fraternel, amour d'une communauté de personnes et de générations. L'amour humain est-il envisageable sans l'Époux et sans l'amour dont, le premier, il a aimé jusqu'à la fin? C'est seulement s'ils prennent part à cet amour et à ce « grand mystère » que les époux peuvent aimer « jusqu'à la fin »: ou bien ils deviennent participants de cet amour, ou alors ils ne savent pas à fond ce qu'est l'amour et à quel point ses exigences sont radicales. Cela constitue indubitablement pour eux un grave danger.

L'enseignement de la Lettre aux Éphésiens étonne par sa profondeur et par son *autorité éthique*. En désignant le mariage, et indirectement la famille, comme le « grand mystère » en référence au Christ et à l'Église, l'Apôtre Paul peut redire encore une fois ce qu'il avait dit précédemment aux maris: « Que chacun aime sa femme comme soi-même ». Il ajoute ensuite: « Et que la femme ait du respect envers son mari » (*Ep* 5, 33). Du respect parce qu'elle aime et qu'elle sait être aimée. C'est en vertu de cet amour que les époux *deviennent un don réciproque*. Dans l'amour est contenue la reconnaissance de la dignité personnelle de l'autre et de son unicité sans équivalent: en effet, en tant qu'être humain, chacun d'eux a été choisi par Dieu pour lui-même,[45] parmi les créatures de la terre; cependant, par un acte conscient et responsable, chacun fait de lui-même un don libre à l'autre et aux enfants reçus du Seigneur. Saint Paul poursuit son exhortation, la reliant de manière significative au quatrième commandement: « Enfants, obéissez à vos parents, dans le Seigneur: cela est juste. "Honore ton père et ta mère", tel est le premier commandement auquel soit attaché une promesse: "pour que tu t'en trouves bien et jouisses d'une longue vie sur la terre". Et vous, parents, n'exaspérez pas vos enfants, mais usez, en les éduquant, de corrections et de semonces qui s'inspirent du Seigneur » (*Ep* 6, 1-4). Donc, l'Apôtre voit dans le quatrième commandement l'engagement implicite au respect mutuel entre mari et femme, entre

---

[45] Cf. CONC. ŒCUM. VAT. II, Const. past. sur l'Église dans le monde de ce temps *Gaudium et spes,* n. 24.

84

parents et enfants, reconnaissant ainsi en lui *le principe de la cohésion familiale.*

L'admirable synthèse paulinienne au sujet du « grand mystère » se présente, en un sens, comme le résumé, *la « summa » de l'enseignement sur Dieu et sur l'homme,* que le Christ a porté à son accomplissement. Malheureusement, la pensée occidentale, avec le développement du *rationalisme moderne,* s'est peu à peu éloignée de cet enseignement. Le philosophe qui a énoncé le principe du « *cogito, ergo sum* », « je pense, donc je suis », a aussi imprimé à la conception moderne de l'homme *le caractère dualiste* qui la distingue. C'est le propre du rationalisme d'opposer chez l'homme, de manière radicale, l'esprit au corps, et le corps à l'esprit. Au contraire, l'homme est une personne dans l'unité de son corps et de son esprit.[46] Le corps ne peut jamais être réduit à une pure matière: c'est *un corps « spiritualisé »,* de même que l'esprit est si profondément uni au corps qu'il peut être qualifié *d'esprit « incarné ».* La source la plus riche pour la connaissance du corps est le Verbe fait chair. *Le Christ révèle l'homme à l'homme.*[47] Cette affirmation du Concile Vatican II est, en un sens, la réponse, attendue depuis longtemps, que l'Église a donnée au rationalisme moderne.

Cette réponse revêt une importance fondamentale pour la compréhension de la famille, spécialement dans le contexte de la civilisation moderne, qui, comme il a été

---

[46] « *Corpore et anima unus* », selon l'heureuse expression du Concile: *ibid.,* n. 14.

[47] *Ibid.,* n. 22.

dit, semble avoir renoncé dans de nombreuses occasions à être une « civilisation de l'amour ». À l'époque moderne, le progrès de la connaissance du monde matériel et aussi de la psychologie humaine a été considérable; mais en ce qui concerne sa dimension la plus intime, la dimension métaphysique, l'homme d'aujourd'hui reste en grande partie *un être inconnu* pour lui-même; et, par conséquent, la famille aussi reste une *réalité méconnue.* Cela se produit en raison de la distanciation de ce « grand mystère » dont parle l'Apôtre.

La séparation de l'esprit et du corps dans l'homme a eu pour conséquence l'affermissement de la tendance à traiter le corps humain non selon les catégories de sa ressemblance spécifique avec Dieu, mais selon celles de sa ressemblance avec tous les autres corps présents dans la nature, corps que l'homme utilise comme matériel pour son activité en vue de la production des biens de consommation. Mais tous peuvent immédiatement comprendre que l'application à l'homme de tels critères cache en réalité d'énormes dangers. Lorsque le corps humain, considéré indépendamment de l'esprit et de la pensée, est utilisé comme *matériel* au même titre que le corps des animaux — c'est ce qui advient, par exemple, dans les manipulations sur les embryons et sur les fœtus —, on va inévitablement vers une terrible dérive éthique.

Devant une pareille perspective anthropologique, la famille humaine en arrive à vivre l'expérience d'un *nouveau manichéisme,* dans lequel le corps et l'esprit sont radicalement mis en opposition: le corps ne vit pas de l'esprit, et l'esprit ne vivifie pas le corps. Ainsi, l'homme *cesse de vivre comme personne et comme sujet.* Malgré les intentions et les déclarations contraires, il devient exclusivement un *objet*. Dans ce sens, par exemple, cette civilisation néo-manichéenne porte à considérer la sexualité humaine plus comme un terrain *de manipulations et d'exploitation* que comme la réalité de cet *étonnement originel* qui, au matin de la création, pousse Adam à s'écrier à la vue d'Ève: « C'est l'os de mes os et la chair de ma chair » (*Gn* 2, 23). C'est l'étonnement dont on perçoit l'écho dans les paroles du Cantique des Cantiques: « Tu me fais perdre le sens, ma sœur, ô fiancée, tu me fais perdre le sens par un seul de tes regards » (*Ct* 4, 9). Comme certaines conceptions modernes sont loin de la compréhension profonde de la masculinité et de la féminité offerte par la Révélation divine! Cette dernière nous fait découvrir dans la *sexualité humaine* une *richesse de la personne* qui trouve sa véritable mise en valeur dans la famille et qui exprime aussi sa vocation profonde dans la virginité et dans le célibat pour le Règne de Dieu.

Le rationalisme moderne *ne supporte pas le mystère.* Il n'accepte pas le mystère de l'homme, homme et femme, ni ne veut reconnaître que la pleine vérité sur l'homme a été révélée en Jésus Christ. En particulier, il ne tolère pas le « grand mystère » annoncé dans la Lettre aux Éphésiens, et il le combat de manière radicale. S'il reconnaît, dans un contexte de vague déisme, la possibilité et même le besoin d'un Être suprême ou divin, il récuse fermement la notion d'un Dieu qui se fait homme pour sauver l'homme. Pour le rationalisme, il est impensable que Dieu soit le Rédempteur, encore moins *qu'il soit « l'Époux »,* la source originelle et unique de l'amour sponsal humain. Il interprète la création et le sens de l'existence humaine de manière radicalement différente. Mais s'il manque à l'homme la perspective d'un Dieu qui l'aime et qui, par le Christ, l'appelle à vivre en Lui et avec Lui, si la possibilité de participer au « grand mystère » n'est pas ouverte à la famille, que reste-t-il si ce n'est *la seule dimension temporelle de la vie?* Il reste la vie temporelle comme terrain de lutte pour l'existence, de recherche fébrile du profit, avant tout économique.

Le « grand mystère », le sacrement de l'amour et de la vie, qui a son commencement dans la création et dans la rédemption et dont est *garant le Christ-Époux,* a perdu dans la mentalité moderne ses plus profondes racines. Il est menacé en nous et autour de nous. Puisse l'Année de la Famille, célébrée dans l'Église, devenir pour les époux une occasion propice pour le redécouvrir et pour le réaffirmer avec force, avec courage et avec enthousiasme!

### La Mère du bel amour

20.    L'histoire du « bel amour » commence à l'Annonciation, avec les paroles admirables que l'Ange a adressées à Marie, appelée à devenir la Mère du Fils de Dieu. Par le « oui » de Marie, Celui qui est « Dieu né de Dieu, Lumière née de la Lumière » devient Fils de l'homme; Marie est sa Mère, sans cesser d'être la Vierge qui « ne connaît pas d'homme » (cf. *Lc* 1, 34). Comme Vierge-Mère, *Marie devient Mère du bel amour.* Cette vérité est déjà révélée par les paroles de l'Archange Gabriel, mais sa signification plénière

sera confirmée et approfondie au fur et à mesure que Marie suivra son Fils dans le pèlerinage de la foi.[48]

La « Mère du bel amour » fut accueillie par celui qui, d'après la tradition d'Israël, était déjà son époux sur la terre, *Joseph, de la race de David.* Il aurait eu le droit de voir en sa fiancée son épouse et la mère de ses enfants. Mais Dieu intervient de sa propre initiative dans cette alliance sponsale: « Joseph, fils de David, ne crains pas de prendre chez toi Marie, ta femme: car ce qui a été engendré en elle vient de l'Esprit Saint » (*Mt* 1, 20). Joseph est conscient, il voit de ses yeux qu'en Marie a été conçue une vie nouvelle qui n'est pas issue de lui et, en homme juste, fidèle à la Loi ancienne qui, dans son cas, imposait le divorce, il veut dissoudre son mariage d'une manière charitable (cf. *Mt* 1, 19). L'Ange du Seigneur lui fait savoir que cela ne serait pas conforme à sa vocation, que ce serait même contraire à l'amour sponsal qui l'unit à Marie. Cet amour sponsal mutuel, pour être pleinement le « bel amour », exige que Joseph accueille Marie et son Fils sous le toit de sa maison à Nazareth. Joseph obéit au message divin et agit comme il lui a été prescrit (cf. *Mt* 1, 24). C'est aussi grâce à Joseph que *le mystère de l'Incarnation* et, avec lui, le mystère de la Sainte Famille, *est profondément inscrit dans l'amour sponsal de l'homme et de la femme* et, indirectement, dans la généalogie de toute famille humaine. Ce que Paul appellera le « grand mystère » trouve dans la Sainte Famille son expression la

---

[48] Cf. CONC. ŒCUM. VAT. II, Const. dogm. sur l'Église *Lumen gentium*, nn. 56-59.

plus haute. *La famille* se place ainsi véritablement *au centre de la Nouvelle Alliance.*

On peut dire aussi que l'histoire du « bel amour » a commencé, en un sens, avec *le premier couple humain,* avec Adam et Ève. La tentation à laquelle ils cédèrent et le péché originel qui en fut la conséquence ne les privèrent pas totalement de la capacité du « bel amour ». On le comprend en lisant, par exemple, dans le Livre de Tobie que les époux Tobie et Sara, pour exprimer le sens de leur union, se réfèrent à leurs ancêtres Adam et Ève (cf. *Tb* 8, 6). Dans la Nouvelle Alliance, saint Paul aussi en est témoin lorsqu'il parle du Christ comme nouvel Adam (cf. *1 Co* 15, 45): le Christ ne vient pas condamner le premier Adam et la première Ève, mais les racheter; il vient renouveler ce qui, en l'homme, est don de Dieu, tout ce qui, en lui, est éternellement bon et beau, et qui constitue le substrat du bel amour. *L'histoire du « bel amour »* est, en un sens, *l'histoire du salut de l'homme.*

Le « bel amour » tire toujours *son origine de l'auto-révélation de la personne.* Dans la création, Ève se révèle à Adam, comme Adam se révèle à Ève. Au cours de l'histoire, les jeunes épouses se révèlent à leurs époux, les nouveaux couples humains se disent entre eux: « Nous marcherons ensemble sur le chemin de la vie ». Ainsi commence la famille comme union de deux personnes et, en vertu du sacrement, comme nouvelle communauté dans le Christ. *L'amour, pour être réellement beau, doit être un don de Dieu,* greffé par l'Esprit Saint dans le cœur des hommes et continuellement nourri en eux (cf. *Rm* 5, 5). L'Église, qui en est bien consciente, demande à l'Esprit Saint de descendre dans le

90

cœur des hommes lors du sacrement du mariage. Pour que le « bel amour » existe véritablement, c'est-à-dire don de la personne à la personne, il doit provenir de Celui qui est don lui-même et source de tout don.

Ainsi en est-il dans l'Évangile pour Marie et Joseph qui, au seuil de la Nouvelle Alliance, revivent l'expérience du « bel amour » décrite dans le Cantique des cantiques. Joseph pense et dit à Marie: « Ma petite sœur, ma fiancée » (cf. *Ct* 4, 9). Marie, Mère de Dieu, conçoit par l'Esprit Saint, de qui provient le « bel amour », délicatement placé par l'Évangile dans le contexte du « grand mystère ».

Quand nous parlons du « bel amour », nous parlons par là même de la *beauté:* beauté de l'amour et beauté de l'être humain qui, grâce à l'Esprit Saint, est capable d'un tel amour. Nous parlons de la beauté de l'homme et de la femme, de leur beauté comme frères et sœurs, comme fiancés, comme époux. L'Évangile éclaire non seulement le mystère du « bel amour », mais également le mystère tout aussi profond de la beauté, qui vient de Dieu comme l'amour. C'est de Dieu que viennent l'homme et la femme, personnes appelées à devenir un don réciproque. Du don originel de l'Esprit « qui donne la vie » jaillit le don réciproque de la condition de mari ou de femme, ainsi que le don d'être frère ou sœur.

Tout cela trouve une confirmation dans le mystère de l'Incarnation, devenu, dans l'histoire des hommes, *source d'une beauté nouvelle,* qui a inspiré d'innombrables chefs-d'œuvre artistiques. Après la défense expresse de représenter par des images le Dieu invisible (cf. *Dt* 4, 15-20), l'ère chrétienne a, au contraire, suscité la représentation artistique du Dieu fait homme, de Marie sa Mère et de Joseph, des saints de l'Ancienne comme de la Nouvelle Alliance et, en général, de toute la création, rachetée par le Christ; elle inaugurait ainsi un nouveau rapport avec le monde de la culture et de l'art. On peut dire que *le nouveau canon de l'art,* prenant en compte la dimension profonde de l'homme et son avenir, commence avec le mystère de l'Incarnation du Christ en s'inspirant des mystères de sa vie: la naissance à Bethléem, la vie cachée à Nazareth, le ministère public, le Golgotha, la Résurrection, le retour dans la gloire. L'Église a conscience du fait que sa présence au monde contemporain, et en particulier la contribution qu'elle apporte pour mettre en valeur la dignité du mariage et de la famille, sont étroitement liées au développement de la culture; elle y veille à juste titre. C'est bien pourquoi l'Église suit avec une grande attention les orientations des moyens de communication sociale, qui ont pour tâche de *former* le grand public et pas seulement de *l'informer*.[49] Très avertie de la grande et profonde influence de ces moyens, elle ne se lasse pas de mettre en garde les spécialistes de la communication contre les dangers de la manipulation de la vérité. Quelle vérité peut-il y avoir, en effet, dans des films, dans des spectacles, dans des programmes de radio et de télévision où dominent la pornographie et la violence? Est-ce là rendre un bon service à la *vérité sur l'homme?* Voilà quelques interrogations auxquelles ne peuvent se soustraire les spécialistes de ces instruments et les

---

[49] Cf. CONSEIL PONT. POUR LES COMMUNICATIONS SOCIALES, Instruction pastorale *Ætatis novae* (22 février 1992), n. 7.

différents responsables de l'élaboration et de la commercialisation de leurs produits.

Grâce à une telle réflexion critique, notre civilisation, qui présente cependant tant d'aspects positifs sur le plan matériel comme sur le plan culturel, devrait se rendre compte qu'elle est, sous divers aspects, une *civilisation malade,* qui provoque de profondes altérations chez l'homme. Pourquoi cela se produit-il? La raison réside dans le fait que notre société s'est détachée de la vérité plénière sur l'homme, de la vérité sur ce que sont l'homme et la femme comme personnes. Par conséquent, elle est incapable de comprendre de manière exacte ce que sont réellement le don des personnes dans le mariage, l'amour responsable au service de la paternité et de la maternité, l'authentique grandeur de la procréation et de l'éducation. Est-il dès lors exagéré d'affirmer que les *médias,* s'ils n'obéissent pas aux sains principes de l'éthique, ne servent pas la vérité dans sa dimension essentielle? Voilà donc le drame: les moyens modernes de communication sociale sont soumis à la tentation de manipuler le message, *en falsifiant la vérité sur l'homme.* L'être humain n'est pas ce dont la publicité fait la réclame ni ce qui est présenté dans les médias modernes. *Il est bien davantage,* comme unité psycho-physique, comme composé unifié d'âme et de corps, comme personne. Il est bien davantage par sa vocation à l'amour, qui l'introduit comme homme et comme femme dans la dimension du « grand mystère ».

Marie a accédé la première à cette dimension, et elle y a introduit aussi son époux Joseph. Ils sont devenus ainsi *les premiers modèles* de ce bel amour dont l'Église ne cesse de demander la grâce pour la jeunesse, pour les époux et pour les familles. Que les jeunes, les époux, les familles ne se lassent pas, eux non plus, de prier à cette intention! Comment ne pas penser aux multitudes de pèlerins, jeunes ou vieux, qui accourent dans les sanctuaires mariaux et fixent leur regard sur le visage de la Mère de Dieu, sur le visage des membres de la Sainte Famille, qui reflètent toute la beauté de l'amour donné par Dieu à l'homme?

Dans le Discours sur la montagne, le Christ, se référant au sixième commandement, proclame ceci: « Vous avez entendu qu'il a été dit: Tu ne commettras pas l'adultère. Eh bien! moi, je vous dis: Quiconque regarde une femme pour la désirer a déjà commis, dans son cœur, l'adultère avec elle » (*Mt* 5, 27-28). Par rapport au Décalogue, qui tend à défendre la solidité traditionnelle du mariage et de la famille, ces paroles marquent un grand pas en avant. Jésus remonte à la source du péché d'adultère: cette source se trouve dans le cœur de l'homme et se manifeste par une manière de regarder et de penser qui est dominée par la *concupiscence*. Par la concupiscence, *l'homme tend à s'approprier un autre être humain,* qui n'est pas à lui, mais qui appartient à Dieu. Tout en s'adressant à ses contemporains, le Christ parle aux hommes de tous les temps et de toutes les générations; il parle notamment à notre génération, qui vit sous le signe d'une civilisation portée à la consommation et à l'hédonisme.

Pourquoi le Christ, dans le Discours sur la montagne, se prononce-t-il de manière si forte et si exigeante? La réponse est on ne peut plus claire: le Christ veut garantir *la sainteté du mariage et de la famille,* il veut défendre la vérité tout entière sur la personne humaine et sur sa dignité.

94

C'est seulement à la lumière de cette vérité que la famille peut être totalement la grande « révélation », *la première découverte de l'autre:* la découverte réciproque des époux, puis la découverte de chaque fils ou fille qui naît de leur union. Tout ce que les époux se promettent mutuellement — d'être « toujours fidèles dans la joie et dans la peine, de s'aimer et de se respecter tous les jours de leur vie » — n'est possible que dans la dimension du « bel amour ». L'homme d'aujourd'hui ne peut en faire l'apprentissage à partir de ce que contient la culture de masse moderne. Le « bel amour » s'apprend surtout en priant. *La prière,* en effet, comprend toujours, pour utiliser une expression de saint Paul, une sorte *d'enfouissement intérieur avec le Christ en Dieu:* « Votre vie est désormais cachée avec le Christ en Dieu » (*Col* 3, 3). C'est seulement dans un tel enfouissement qu'œuvre l'Esprit Saint, source du bel amour. Il répand cet amour non seulement dans le cœur de Marie et de Joseph, mais aussi dans celui des époux disposés à écouter la Parole de Dieu et à la garder (cf. *Lc* 8, 15). L'avenir de tout noyau familial dépend de ce « bel amour »: amour mutuel des époux, des parents et des enfants, amour de toutes les générations. L'amour est la véritable *source de l'unité et de la force de la famille.*

## La naissance et le péril

21.    Le court récit de l'enfance de Jésus, d'une manière très significative, nous relate presque simultanément sa *naissance* et le *péril* auquel il dut immédiatement faire face. Luc rapporte les paroles prophétiques prononcées par le vieillard Syméon lorsque l'Enfant Jésus est  présenté au Seigneur dans

le Temple, quarante jours après sa naissance. Il parle de « lumière » et de « signe de contradiction »; puis il fait à Marie cette prédiction: « Toi-même, une épée te transpercera l'âme » (cf. *Lc* 2, 32-35). Matthieu, au contraire, s'attarde sur le piège tendu par Hérode à Jésus: averti par les Mages venus d'Orient pour voir le nouveau roi qui devait naître (cf. *Mt* 2, 2), il se sent menacé dans son pouvoir et, après leur départ, il ordonne de tuer tous les enfants de Bethléem et des environs âgés de moins de deux ans. Jésus échappe aux mains d'Hérode grâce à une intervention divine particulière et grâce à la sollicitude paternelle de Joseph, qui l'emmène avec sa Mère en Égypte où ils demeurent jusqu'à la mort d'Hérode. Ils reviennent ensuite à Nazareth, leur ville natale, où la Sainte Famille commence une longue période de vie cachée, rythmée par l'accomplissement fidèle et généreux des devoirs quotidiens (cf. *Mt* 2, 1-23; *Lc* 2, 39-52).

Le fait que Jésus, dès sa naissance, ait eu à faire face à des menaces et à des périls semble être d'une *éloquence prophétique*. Comme Enfant déjà, il est « signe de contradiction ». Il y a aussi un signe d'éloquence prophétique dans le drame des enfants innocents de Bethléem, tués sur ordre d'Hérode et devenus, selon l'antique liturgie de l'Église, participants de la naissance et de la passion rédemptrice du Christ.[50] À travers leur « passion », ils achèvent « ce qui

---

[50] Dans la liturgie de leur fête, qui remonte au V^e siècle, l'Église s'adresse aux saints Innocents avec les paroles du poète Prudence († vers 405) qui les célébrait comme des « fleurs du martyre que, dès l'aube de leur vie, le persécuteur du Christ a coupées, tel l'ouragan qui emporte des roses non encore écloses ».

manque aux souffrances du Christ, pour son corps qui est l'Église » (*Col* 1, 24).

Dans l'Évangile de l'enfance, *l'annonce de la vie,* qui se réalise d'une manière admirable dans l'événement de la naissance du Rédempteur, est donc fortement mise en face de *la menace contre la vie,* vie qui contient en totalité le mystère de l'Incarnation et de la réalité divine et humaine du Christ. Le Verbe s'est fait chair (cf. *Jn* 1, 14), Dieu s'est fait homme. Les Pères de l'Église rappelaient souvent ce mystère sublime: « Dieu s'est fait homme, afin que nous devenions des dieux ».[51] Cette vérité de la foi est en même temps la vérité sur l'être humain. Elle met en lumière la gravité de tout attentat contre la vie de l'enfant dans le sein de sa mère. Ici précisément, nous nous trouvons aux *antipodes* du « bel amour ». En ne cherchant que le plaisir, on peut en venir à tuer l'amour, à en tuer le fruit. Pour la culture du plaisir, le « fruit béni de ton sein » (*Lc* 1, 42) devient en un sens un « fruit maudit ».

Comment ne pas rappeler à ce sujet les déviations que connaît, dans de nombreux pays, ce qu'on appelle l'*État de droit.* La Loi de Dieu à l'égard de la vie humaine est sans équivoque et catégorique. Dieu ordonne: « Tu ne tueras pas » (*Ex* 20, 13). *Aucun législateur humain ne peut donc affirmer: Il t'est permis de tuer, tu as le droit de tuer, tu devrais tuer.* Malheureusement, dans l'histoire de notre siècle, cela s'est produit lorsque ont accédé au pouvoir, même d'une manière démocratique, des forces politiques qui ont établi

---

[51] S. ATHANASE, *De Incarnatione Verbi,* n. 54: *PG* 25, 191-192.

des lois contraires au droit de tout homme à la vie, au nom de prétendus, autant qu'aberrants, motifs eugéniques, ethniques ou autres. Il y a un phénomène non moins grave, notamment parce qu'il s'accompagne d'un large assentiment ou consensus de l'opinion publique: celui des législations qui ne respectent pas le droit à la vie dès la conception. Comment pourrait-on accepter moralement des lois qui permettent de tuer l'être humain non encore né mais qui vit déjà dans le sein maternel? Le droit à la vie devient ainsi l'apanage exclusif des adultes, qui se servent des parlements eux-mêmes pour faire aboutir leurs projets et poursuivre leurs intérêts personnels.

Nous nous trouvons en face d'une énorme menace contre la vie, non seulement d'individus, mais de la civilisation tout entière. L'affirmation que cette civilisation est devenue, par certains aspects, une « civilisation de la mort » se confirme de manière préoccupante. N'est-ce donc pas un *événement prophétique* que la naissance du Christ ait été accompagnée d'une menace contre son existence? Oui, même la vie de Celui qui est tout à la fois Fils de l'homme et Fils de Dieu a été menacée; elle a été en danger dès ses débuts et n'a échappé à la mort que par miracle.

Dans les dernières décennies, toutefois, on remarque quelques symptômes réconfortants de *réveil des consciences:* on le constate tant dans le monde de la pensée que dans l'opinion publique. On voit se développer, surtout parmi les jeunes, une nouvelle conscience du respect de la vie depuis la conception; les mouvements pour la vie (*pro life*) se répandent. C'est un levain d'espérance pour l'avenir de la famille et de l'humanité tout entière.

98

## « ... vous m'avez accueilli »

22.    Époux et familles du monde entier, *l'Époux est avec vous!* C'est la première chose que veut vous dire le Pape, en l'année que les Nations Unies et l'Église consacrent à la famille. « Dieu a tant aimé le monde qu'il a donné son Fils unique, afin que quiconque croit en lui ne se perde pas, mais ait la vie éternelle. Car Dieu n'a pas envoyé son Fils dans le monde pour juger le monde, mais pour que le monde soit sauvé par lui » (*Jn* 3, 16-17); « ce qui est né de la chair est chair, ce qui est né de l'Esprit est Esprit... Il vous faut naître d'en haut » (*Jn* 3, 6-7). Vous devez « naître d'eau et d'Esprit » (*Jn* 3, 5). C'est précisément vous, chers pères et mères, qui êtes *les premiers témoins et ministres* de cette *nouvelle naissance* de l'Esprit Saint. Vous, qui engendrez vos enfants pour la patrie terrestre, n'oubliez pas qu'*en même temps vous les engendrez pour Dieu.* Dieu désire qu'ils naissent de l'Esprit Saint; il veut qu'ils soient ses fils adoptifs dans le Fils unique, qui nous donne le « pouvoir de devenir enfants de Dieu » (*Jn* 1, 12). L'œuvre du salut perdure dans le monde et se réalise grâce à l'Église. Tout cela est l'œuvre du Fils de Dieu, de l'Époux divin, qui nous a transmis le Règne du Père et qui nous rappelle à nous, ses disciples: « Le Royaume de Dieu est au milieu de vous » (*Lc* 17, 21).

Notre foi nous dit que Jésus Christ, qui « est assis à la droite du Père », viendra juger les vivants et les morts. D'autre part, l'évangéliste Jean nous assure qu'Il a été envoyé dans le monde « non pour juger le monde, mais pour que le monde soit sauvé par lui » (*Jn* 3, 17). En quoi consiste donc le jugement? Le Christ lui-même donne la réponse: « Tel est le jugement: la lumière est venue dans le monde... Celui qui fait la vérité vient à la lumière, afin que soit manifesté que ses œuvres sont faites en Dieu » (*Jn* 3, 19.21). C'est ce qu'a récemment rappelé l'encyclique *Veritatis splendor*.[52] Le Christ est-il donc juge? *Tes actes te jugeront à la lumière de la vérité que tu connais.* Ce sont leurs œuvres qui jugeront les pères et les mères, les fils et les filles. Chacun de nous sera jugé à partir des commandements, y compris ceux que nous avons rappelés dans cette Lettre: le quatrième, le cinquième, le sixième et le neuvième. Mais chacun sera jugé surtout *sur l'amour,* qui donne leur sens aux commandements et qui en est la synthèse. « Au soir de la vie, nous serons jugés sur l'amour », a écrit saint Jean de la Croix.[53] Le Christ, Rédempteur et Époux de l'humanité, n'« est né et n'est venu dans le monde que pour rendre témoignage à la vérité. Quiconque est de la vérité écoute sa voix » (cf. *Jn* 18, 37). C'est lui qui sera le juge, mais de la manière qu'il a lui-même indiquée en parlant du jugement dernier (cf. *Mt* 25, 31-46). Son jugement sera *un jugement sur l'amour,* un jugement qui confirmera définitivement la vérité que l'Époux était avec nous, sans que, peut-être, nous l'ayons su.

Le juge est *l'Époux de l'Église et de l'humanité.* C'est pourquoi il juge en disant: « Venez, les bénis de mon Père..., car j'ai eu faim et vous m'avez donné à manger, j'ai eu soif et vous m'avez donné à boire, j'étais un étranger et vous m'avez accueilli, nu et vous m'avez vêtu » (*Mt* 25, 34-36). Cette liste pourrait naturellement s'allonger et en elle

---

[52] Cf. *Veritatis splendor* (6 août 1993), n. 84.
[53] *La vive Flamme d'amour,* 59.

apparaîtrait un nombre infini de problèmes qui concernent aussi la vie conjugale et familiale. On pourrait y trouver également des expressions comme celles-ci: « J'étais un enfant encore à naître et vous m'avez reçu, me permettant de naître; j'étais un enfant abandonné et vous avez été pour moi une famille; j'étais un enfant orphelin et vous m'avez adopté et élevé comme votre enfant ». Et encore: « Les mères qui hésitaient et qui subissaient des pressions indues, vous les avez aidées à accepter leur enfant à naître et à le mettre au monde; vous avez aidé des familles nombreuses, des familles en difficulté, à garder et à élever les enfants que Dieu leur avait donnés ». Nous pourrions continuer, avec une liste longue et variée qui comprendrait toute sorte de vrai bien moral et humain, où s'exprime l'amour. Telle est la grande moisson que le Rédempteur du monde, auquel le Père a remis le jugement, viendra récolter: c'est *la moisson de grâce et d'œuvres bonnes,* mûrie au souffle de l'Époux dans l'Esprit Saint, qui ne cesse d'agir dans le monde et dans l'Église. Rendons-en grâce à Celui qui est l'Auteur de tout bien.

Nous savons pourtant que, dans la sentence finale rapportée par l'évangéliste Matthieu, il y a une autre liste, grave et terrifiante: « Loin de moi ..., car j'ai eu faim et vous ne m'avez pas donné à manger, j'ai eu soif et vous ne m'avez pas donné à boire, j'étais un étranger et vous ne m'avez pas accueilli, nu et vous ne m'avez pas vêtu » (*Mt* 25, 41-43). Et, dans cette liste également, il se trouvera peut-être d'autres comportements, dans lesquels Jésus, là aussi, se présente toujours comme *l'homme méprisé.* Ainsi, il s'identifie avec la femme ou le mari abandonné, avec l'enfant conçu et refusé: « Vous ne m'avez pas accueilli! » Ce jugement lui aussi fait

101

son chemin à travers l'histoire de nos familles; il fait son chemin à travers l'histoire des nations et de l'humanité. Les paroles du Christ « vous ne m'avez pas accueilli » concernent aussi des institutions sociales, des gouvernements et des organisations internationales.

Pascal a écrit que « Jésus sera en agonie jusqu'à la fin du monde ».[54] L'agonie de Gethsémani et l'agonie du Golgotha sont le point culminant de la manifestation de l'amour. Dans l'une et l'autre se manifeste l'Époux qui est avec nous, qui aime toujours de manière nouvelle, qui « aime jusqu'à la fin » (cf. *Jn* 13, 1). L'amour qui est en lui et qui va de lui jusqu'aux frontières des histoires personnelles ou familiales, dépasse les frontières de l'histoire de l'humanité.

Au terme de ces réflexions, chers Frères et Sœurs, en pensant à tout ce qui sera proclamé pendant l'Année de la Famille à partir de diverses tribunes, je voudrais renouveler avec vous la confession adressée par Pierre au Christ: « Tu as les paroles de la vie éternelle » (*Jn* 6, 68). En même temps nous disons: Tes paroles, Seigneur, ne passeront pas (cf. *Mc* 13, 31)! Quel souhait le Pape peut-il former pour vous au terme de cette longue *méditation sur l'Année de la Famille?* Il vous souhaite de vous retrouver tous dans ces paroles, qui sont « esprit et vie » (cf. *Jn* 6, 63).

## « Que se fortifie en vous l'homme intérieur »

23. Je fléchis les genoux en présence du Père de qui toute paternité et toute maternité tirent leur nom: « Qu'il

---

[54] B. PASCAL, *Pensées,* n. 553 (éd. Br.).

daigne ... vous armer de puissance par son Esprit pour que se fortifie en vous l'homme intérieur » (*Ep* 3, 16). Je reviens volontiers à ces paroles de l'Apôtre que j'ai citées dans la première partie de cette Lettre. Ce sont, en un sens, des paroles clés. *La famille, la paternité et la maternité vont de pair.* En même temps, la famille est le premier milieu humain dans lequel se forme l'« homme intérieur » dont parle l'Apôtre. L'affermissement de sa force est un don du Père et du Fils dans l'Esprit Saint.

L'Année de la Famille place devant nous et dans l'Église une tâche immense, semblable à celle qui concerne la famille chaque année et chaque jour, mais qui, dans le contexte de cette Année, revêt une signification et une importance particulières. Nous avons commencé l'Année de la Famille à Nazareth, en la *solennité de la Sainte Famille;* nous désirons, tout au long de cette Année, faire un pèlerinage jusqu'en ce lieu de grâce qui est devenu le *sanctuaire de la Sainte Famille* dans l'histoire de l'humanité. Nous désirons faire ce pèlerinage en retrouvant la conscience du patrimoine de vérité sur la famille qui, depuis l'origine, constitue *un des trésors de l'Église.* C'est le trésor qui s'amasse à partir de la riche tradition de l'Ancienne Alliance, qui s'achève dans la Nouvelle et qui trouve son expression plénière et emblématique dans le mystère de la Sainte Famille, par laquelle l'Époux divin accomplit la rédemption de toutes les familles. C'est à partir de là que Jésus proclame l'« *évangile de la famille* ». C'est à ce trésor de vérité que puisent toutes les générations des disciples du Christ, à commencer par les Apôtres, dont nous avons largement utilisé l'enseignement dans cette Lettre.

À notre époque, ce trésor est exploité à fond dans les documents du Concile Vatican II; [55] d'intéressantes analyses sont développées également dans de nombreux discours consacrés par Pie XII aux époux,[56] dans l'encyclique *Humanae vitae* de Paul VI, dans les interventions au Synode des Évêques consacré à la famille (1980) et dans l'exhortation apostolique *Familiaris consortio*. J'ai déjà mentionné ces prises de position du Magistère. Si j'y reviens maintenant, c'est pour souligner l'ampleur et la richesse de ce *trésor de la vérité chrétienne sur la famille*. Les seuls *témoignages écrits*, toutefois, ne suffisent pas. Bien plus importants sont *les témoignages vivants*. Paul VI a fait remarquer que « l'homme contemporain écoute plus volontiers les témoins que les maîtres, ou, s'il écoute les maîtres, c'est parce qu'ils sont des témoins ».[57] C'est surtout aux témoins que, dans l'Église, se trouve confié le trésor de la famille, aux pères et aux mères, aux fils et aux filles qui, par leur famille, ont trouvé le chemin de leur vocation humaine et chrétienne, la dimension de l'« homme intérieur » (*Ep* 3, 16) dont parle l'Apôtre, et qui ont ainsi atteint la sainteté. *La Sainte Famille est la première de tant d'autres familles saintes*. Le Concile a rappelé que la sainteté est la vocation universelle des baptisés.[58] À notre époque, comme dans le passé, il ne manque pas de témoins

[55] Cf. en particulier Const. past. *Gaudium et spes,* nn. 47-52.
[56] Une attention particulière doit être accordée au Discours aux participants au Congrès de l'Union catholique italienne d'Obstétrique (29 octobre 1951), dans *Discorsi e Radiomessaggi,* XIII, pp. 333-353.
[57] Cf. Discours aux membres du « Conseil des Laïcs » (2 octobre 1974): *AAS* 66 (1974), p. 568.
[58] Cf. Const. dogm. sur l'Église *Lumen gentium,* n. 40.

de « l'évangile de la famille », même s'ils ne sont pas connus ou s'ils n'ont pas été canonisés par l'Église. L'Année de la Famille est une occasion opportune de prendre mieux conscience de leur existence et de leur grand nombre.

C'est par la famille que se déploie l'histoire de l'homme, l'histoire du salut de l'humanité. Dans ces pages, j'ai cherché à montrer que la famille se trouve au centre du grand affrontement entre le bien et le mal, entre la vie et la mort, entre l'amour et tout ce qui s'oppose à l'amour. C'est à la famille qu'est confiée la tâche de lutter d'abord pour *libérer les forces du bien,* dont la source se trouve dans le Christ Rédempteur de l'homme. Il faut faire en sorte que *chaque foyer s'approprie ces forces,* afin que, selon l'expression utilisée lors du millénaire du christianisme en Pologne, la famille soit *« forte de Dieu ».*[59] Telle est la raison pour laquelle cette Lettre a voulu s'inspirer des exhortations apostoliques que nous trouvons dans les écrits de Paul (cf. *1 Co* 7, 1-40; *Ep* 5, 21-6, 9; *Col* 3, 25), et dans les lettres de Pierre et de Jean (cf. *1 P* 3, 1-7; *1 Jn* 2, 12-17). Malgré la différence de contexte historique et culturel, quelles ressemblances entre la situation des chrétiens et des familles de l'époque avec celle d'aujourd'hui!

Je vous lance donc *un appel:* un appel que j'adresse spécialement à vous, chers époux et épouses, pères et mères, fils et filles. C'est un appel à toutes les Églises particulières, pour qu'elles demeurent unies dans l'enseignement de la vérité apostolique; à mes Frères dans l'épiscopat, aux prêtres, aux

[59] Cf. Card. Stefan Wyszyński, *Rodzina Bogiem silna,* Homélie prononcée à Jasna Góra, 26 août 1961.

familles religieuses et aux personnes consacrées, aux mouvements et aux associations de fidèles laïcs; aux frères et aux sœurs auxquels nous unit la foi commune en Jésus Christ, même si nous ne faisons pas encore l'expérience de la pleine communion voulue par le Sauveur; [60] à tous ceux qui, partageant la foi d'Abraham, appartiennent comme nous à la grande communauté de ceux qui croient en un Dieu unique; [61] à ceux qui sont les héritiers d'autres traditions spirituelles et religieuses; à tout homme et à toute femme de bonne volonté.

Que le Christ, qui est le même « hier, aujourd'hui et à jamais » (*He* 13, 8), soit avec nous tandis que nous fléchissons les genoux devant le Père de qui viennent toute paternité, toute maternité et toute famille humaine (cf. *Ep* 3, 14-15) et, avec les paroles mêmes de la prière qu'il adresse au Père et qu'il nous a lui-même enseignée, qu'il nous donne encore une fois le témoignage de l'amour avec lequel il nous « aima jusqu'à la fin » (*Jn* 13, 1)!

Avec la puissance de sa vérité, je parle à l'homme de notre temps pour qu'il comprenne la grandeur des biens que sont le mariage, la famille et la vie; le grand péril constitué par le refus de respecter ces réalités et par le manque de considération pour les valeurs suprêmes qui fondent la famille et la dignité de l'être humain.

Que le Seigneur Jésus nous redise tout cela *avec la puissance et la sagesse de la Croix,* afin que l'humanité ne cède pas à la tentation du « père du mensonge » (*Jn* 8, 44) qui la

---

[60] Cf. Const. dogm. sur l'Église *Lumen gentium,* n. 15.
[61] Cf. *ibid.,* n. 16.

106

pousse constamment à prendre des voies larges et dégagées, à l'apparence facile et agréable, mais qui sont en réalité remplies de pièges et de dangers! Qu'il nous soit donné de suivre toujours Celui qui est « le Chemin, la Vérité et la Vie » (*Jn* 14, 6)!

Voilà, chers Frères et Sœurs, la tâche des familles chrétiennes et le souci missionnaire de l'Église, au long de cette Année riche de grâces divines singulières. Puisse la Sainte Famille, icône et modèle de toute famille humaine, aider chacun à cheminer dans l'esprit de Nazareth; puisse-t-elle aider chaque famille à approfondir sa mission dans la société et dans l'Église par l'écoute de la Parole de Dieu, par la prière et le partage fraternel de la vie! Que Marie, Mère du bel amour, et Joseph, Gardien du Rédempteur, nous accompagnent tous de leur incessante protection!

C'est dans ces sentiments que je bénis chaque famille au nom de la Très Sainte Trinité, Père, Fils et Saint-Esprit.

Donné à Rome, près de Saint-Pierre, le 2 février 1994, fête de la Présentation du Seigneur, en la seizième année de mon pontificat.

*Joannes Paulus PP. II*

# TABLE

## I

## LA CIVILISATION DE L'AMOUR

# II
## L'ÉPOUX EST AVEC VOUS

*Cet ouvrage a été réalisé par*
*la SOCIÉTÉ NOUVELLE FIRMIN-DIDOT*
*pour le compte des éditions Plon/Mame*
en février 1994 - N° d'impression : 26481